= Corinne Bola-
Paquet
— A.-J. Delpech
= J.Y. Chevrdal,
— Loïc LaFeuti
— Pratt

Qu'est-ce que l'Assemblée des Français de l'étranger ?

— Danielle Naret

D0226677

DANS LA MÊME COLLECTION

(Suite en fin de volume)

Joëlle Garriaud-Maylam

Qu'est-ce que l'Assemblée des Français de l'étranger ?

*Préfaces de Nicolas Sarkozy, président de la Republique
et de Bernard Kouchner, ministre des Affaires étrangères,
président de l'AFE*

l'Archipel

L'information citoyenne

une collection dirigée par Claude Perrotin

L'information citoyenne,
une collection
pour s'informer, comparer, décider…

infocit@wanadoo.fr
www.infocit.com

www.editionsarchipel.com

Si vous désirez recevoir notre catalogue
et être tenu au courant de nos publications,
envoyez vos nom et adresse, en citant ce livre,
aux Éditions de l'Archipel,
34, rue des Bourdonnais 75001 Paris.
Et, pour le Canada, à
Édipresse Inc., 945, avenue Beaumont,
Montréal, Québec, H3N 1W3.

ISBN 978-2-8098-0115-6
Copyright © L'Archipel, 2008.

Ces soixante dernières années, des centaines d'hommes et de femmes éparpillés à travers le monde ont construit avec courage, persévérance et abnégation un édifice démocratique unique de représentation et de défense de leur pays et de leurs compatriotes. Ce livre leur est dédié.

Préface

par Nicolas Sarkozy,
président de la République

À travers ce voyage inédit au sein de l'Assemblée des Français de l'étranger, la sénatrice Joëlle Garriaud-Maylam nous fait découvrir une institution trop souvent mal connue de nos compatriotes. Cette assemblée, qui représente quelque deux millions de Français établis hors de France, est le symbole de la présence française dans le monde, qu'elle s'exprime dans le domaine économique, scientifique, universitaire ou culturel.

Cette année, nous fêtons le soixantième anniversaire de la création du Conseil supérieur des Français de l'étranger, devenu, après la profonde réforme de 2004, l'Assemblée des Français de l'étranger. Je souhaite saluer le travail de grande qualité effectué dans le cadre de ses missions par l'AFE et par toutes celles et tous ceux qui la composent. L'AFE, avec le souci constant de l'efficacité et de l'adaptation au monde qui nous entoure, apporte un éclairage innovant et moderne.

Avocate attentive des droits et des intérêts des Français résidant à l'étranger, l'AFE demande depuis longtemps qu'ils puissent, comme tous les citoyens français, faire entendre leur voix et participer activement à la vie nationale. J'ai toujours estimé que cette revendication était légitime. C'est la raison pour laquelle j'ai souhaité que, dans le cadre du projet de loi de modernisation des institutions de la Ve République, voté par le Congrès le 21 juillet 2008, les Français de l'étranger puissent être représentés à l'Assemblée nationale. L'article 24 de la

Constitution de 1958 dispose désormais que « les Français établis hors de France sont représentés à l'Assemblée nationale et au Sénat ».

Dans le monde globalisé qui est aujourd'hui le nôtre, je forme le vœu que les Français de l'étranger s'imposent comme des acteurs pleinement engagés dans le débat national français, qu'ils continueront à enrichir de leur expérience, de leur dynamisme et de leurs talents singuliers.

Préface

par BERNARD KOUCHNER,
ministre des Affaires étrangères,
président de l'Assemblée des Français
de l'étranger

Le monde peut apparaître instable, voire menaçant. Les récentes crises nous l'ont rappelé de manière parfois tragique. Et pourtant, jamais les Français n'ont été aussi nombreux à aller à sa découverte, à se lancer dans l'aventure de l'expatriation. Les premiers acteurs de la diplomatie française, ce sont ces femmes et ces hommes qui prennent le risque de l'ouverture au monde et de la rencontre avec l'autre. Chacun d'eux contribue jour après jour au rayonnement de la France, à la diffusion de sa culture et de son savoir-faire, à la construction de son image dans le monde.

Mais le goût d'autrui n'empêche pas ces Français de cultiver des liens forts avec la France : c'est même souvent quand ils sont installés à l'étranger que leur sentiment d'appartenance à la communauté nationale se fait le plus fort, le plus nécessaire. Pour relever les formidables défis de la mondialisation, la France a besoin de leur ouverture et de leur talent, de leur connaissance des cultures, des sociétés étrangères et des marchés extérieurs. Elle a donc aussi besoin de leur voix.

Cette voix a son forum : l'Assemblée des Français de l'étranger.

Ministre des Affaires étrangères et européennes, j'ai l'honneur de présider cette assemblée et j'ai le plaisir de constater quotidiennement le dynamisme de ses membres, qui portent la voix des Français, de tous les Français de l'étranger, ceux qui réussissent comme ceux qui font face à des difficultés. Forts de leur connaissance des réalités du terrain, ils interpellent utilement le ministère sur des sujets qui rejoignent nos priorités : la sécurité, la scolarité, l'action sociale et la modernisation de l'administration. D'où ils sont, ils contribuent à faire du Quai d'Orsay le « ministère de la mondialisation » qu'il a aujourd'hui vocation à être.

C'est pourquoi l'ouvrage de madame la sénatrice Joëlle Garriaud-Maylam est particulièrement bienvenu. En cette année du soixantième anniversaire de la création du Conseil supérieur des Français de l'étranger – devenu Assemblée des Français de l'étranger en 2004 –, il contribuera, j'en suis convaincu, à faire connaître au plus grand nombre le rôle de cette institution unique dans notre système démocratique. Fruit d'un travail considérable, il est à l'image de l'action de son auteur, efficace et déterminée au service des Français de l'étranger.

Je souhaite également qu'il soit un encouragement pour nos concitoyens de l'étranger à participer plus activement à l'élection de leurs représentants et, par-là même, aux choix démocratiques qui les concernent tous.

Les Français établis hors de France
Histoire d'une représentation institutionnelle inédite

La question du droit de vote et de la représentation institutionnelle des expatriés est une problématique relativement récente. C'est essentiellement dans la deuxième moitié du XXe siècle, suite aux exodes et aux tragédies de la Seconde Guerre mondiale, que les États ont pris conscience de l'intérêt de renforcer les liens avec leurs ressortissants établis hors de leurs frontières. En effet, si certains États, dits d'immigration, comme l'Argentine ou les États-Unis avaient octroyé dès le XIXe siècle un droit de vote aux nouveaux arrivés sur leur territoire, aucun pays dans l'histoire moderne[1] ne s'était

---

1. Dans l'Antiquité, les cités grecques organisèrent, dès le Ve siècle av. J.-C., une émigration contrôlée de citoyens conservant tous leurs droits dans la métropole, les « clérouquies ». De même, les colons romains, installés sur des terres confisquées, conservaient tous leurs droits civils et publics, dont le *jus suffragii* (droit de vote) et le *jus honorum* (éligibilité à toutes les magistratures). L'empereur Auguste (63 av. J.-C.-14 ap. J.-C.) avait même institué un vote par correspondance pour les décurions de ses colonies.

véritablement préoccupé des questions du maintien de la citoyenneté et du droit de vote à l'étranger.

Seule la France, dans un contexte colonial pluriséculaire marqué par l'émergence d'une conception universaliste des droits de l'homme, avait octroyé certains droits de représentation à ses nationaux établis dans les colonies[2].

De Colbert à la IIIᵉ République

Colbert, grand artisan de l'expansion française à l'étranger, institua des « députés de la nation » dans les colonies françaises, notamment en Égypte. Élus chaque année par les membres de la colonie, dans les pays d'Orient, ces représentants siégeaient auprès du consul de France, et avaient vocation à exprimer les doléances de leurs compatriotes auprès des autorités françaises[3].

En 1787, parallèlement à l'institution en France d'assemblées provinciales, des assemblées coloniales furent établies. Elles comprenaient des fonctionnaires et des députés élus, recevaient des compétences fiscales

---

2. Le terme « colonie » est ici employé tantôt au sens de territoire étranger annexé par la France sur lequel elle exerçait sa souveraineté et tantôt au sens de communauté française établie dans un pays étranger.

3. Ils disparaissent dans les années 1920, au moment même où les Français de l'étranger réclament avec une insistance grandissante le droit d'envoyer au Parlement leurs propres députés. « *La conclusion des traités d'assistance, la modernisation des États, l'organisation des colonies et la création de sociétés d'assistance et de Chambres de commerce* [ont] *peu à peu empiété sur leurs fonctions* », *La Voix de France*, n° 4, juin 1928.

et désignaient chacune une commission permanente et un représentant à l'Assemblée des états[4] à Paris.

Pourtant, aucun article de la convocation aux états généraux, en date du 8 août 1788, ne permettait aux colonies d'y être représentées. Une âpre bataille juridique permit à Saint-Domingue que sa délégation soit admise aux états généraux. Bien qu'uniquement composée d'aristocrates, elle fut écartée par la noblesse et trouva place au sein du tiers-état, ce qui permit à ses députés d'être présents le 20 juin 1789 lors du « Serment du Jeu de paume ».

Six députés représenteront Saint-Domingue, deux la Martinique et deux la Guadeloupe lors des travaux de la première Assemblée nationale, dite Constituante, le 14 octobre 1789. Toutes les colonies, sauf la Guyane, envoyèrent leurs représentants à l'Assemblée en octobre 1790 puis en octobre 1793.

L'idée de *spécialité législative*, introduite par la Constitution de l'an VIII, selon laquelle « *le régime des colonies françaises est déterminé par des lois spéciales* », se développa sous Napoléon après le rétablissement de l'esclavage. Les colonies ne furent plus représentées dans les assemblées, mais le principe déjà établi par la Constituante selon lequel les colonies faisaient partie intégrante de l'État français ne tarda pas à réapparaître.

En abolissant l'esclavage en 1848, la IIe République supprima les conseils coloniaux – au motif que ceux-ci

---

4. Avant la Révolution, on appelle « Assemblée des états » ou simplement « états » des assemblées politiques réunies plus ou moins régulièrement pour délibérer sur les questions d'intérêt public et qui se composent des députés envoyés par les trois ordres (ou états) de la nation, la noblesse, le clergé et le tiers-état.

ne représentaient plus la totalité des citoyens – et rétablit la représentation des colonies à la Constituante.

Un décret organique du 2 février 1852 « *pour l'élection des députés au corps législatif* » disposa que l'Algérie et les colonies n'étaient plus représentées dans les assemblées et qu'il fallait habiter une commune de métropole pour pouvoir y voter. Mais, première mesure d'assimilation, le sénatus-consulte du 3 mai 1854 (modifié le 21 mai 1870) remplaça les conseils nationaux par des conseils généraux. Cette assimilation sera progressivement affirmée par le législateur et ce, au gré des mutations institutionnelles que connut la France pendant la seconde moitié du XIXe siècle. Ainsi, la loi du 24 février 1875 relative à l'organisation du Sénat[5] mentionnait les colonies dans le texte relatif à l'élection des sénateurs : « *les trois départements de l'Algérie, quatre colonies de la Martinique, de la Guadeloupe, de la Réunion et des Indes françaises élisent chacun un sénateur* », ce que confirma la loi constitutionnelle du 9 décembre 1884.

D'un Conseil supérieur à l'autre

Le 21 novembre 1858, Napoléon III remplaça par décret le Comité consultatif de l'Algérie créé le 2 avril 1850 et le Comité consultatif des colonies de 1854 par un Conseil supérieur de l'Algérie et des colonies. Le prince Jérôme Napoléon, ministre de l'Algérie et des colonies, en fut le président. Le Conseil était appelé à délibérer lorsque le « *ministre croit devoir le consulter* » mais ses avis étaient simplement consultatifs et il ne pouvait prendre « *l'initiative d'aucune délibération* ».

---

5. L. Duguit, H. Monnier, R. Bonnard, *Les Constitutions et les principales lois politiques de la France depuis 1789*, 7e éd., Paris, LGDJ, 1952, p. 292.

En 1883, un décret institua, auprès du ministère de la Marine et des colonies, le « Conseil supérieur des colonies » avec comme mission d'apporter au ministère « *la collaboration et les avis de personnalités élues ou choisies pour leur expérience des problèmes intéressant les possessions lointaines* [...] *du domaine colonial français* ».

En 1920, un rapport au président de la République en dresse un bilan peu glorieux : « *Depuis plus de trente ans le Conseil supérieur des colonies n'a pas fonctionné, encore qu'il continue nominalement d'exister et que les colonies ou protectorats "non représentés au Parlement" n'aient pas cessé jusqu'à ce jour d'élire périodiquement leurs délégués auprès de ce conseil.* » L'auteur suggérait que des raisons d'ordre pratique et politique avaient singulièrement affaibli l'influence de cette institution. Parmi ces dernières, son accroissement à 145 membres aurait contribué à transformer cette instance en « *un organisme démesuré, lent à se mouvoir, dont il est apparu difficile, sinon impossible dans la pratique, de rassembler périodiquement, en réunions plénières, les éléments dispersés et d'assurer les sessions permanentes* ».

D'autre part, poursuivait le rapporteur, la mission de ce conseil avait été remise en question par la multiplication de commissions et des groupes de travail et d'étude au sein même du ministère ou créés par « *la sollicitude vigilante du Parlement* ». Convaincu de l'importance du rôle que devaient jouer les colonies dans le relèvement économique et financier de la France, le ministre des Colonies, Albert Sarraut, engagea en septembre 1920 une refonte du Conseil supérieur des colonies, désormais constitué de trois corps consultatifs : le Haut Conseil colonial, le Conseil économique des colonies et le Conseil de législation coloniale, se réunissant et délibérant séparément. Le Haut Conseil colonial était composé des anciens ministres des colonies, anciens gouverneurs généraux et représentants des ministères de la Marine, de la Guerre et des Affaires étrangères. Le Conseil économique des colonies rassemblait les sénateurs et les députés des colonies, des délégués élus des colonies au conseil supérieur, des membres désignés en raison de leur expérience, des représentants des ministères et comprenait sept sections délibérant séparément sur des questions d'ordre économique. Enfin, le Conseil de législation coloniale réunissait des « *personnalités métropolitaines et coloniales qualifiées par leur expérience et leurs connaissances juridiques et administratives* ». Les délégués et parlementaires pouvaient cependant être convoqués lors des séances consacrées à des questions intéressant les colonies qu'ils représentaient[6].

En 1937, le Conseil supérieur de l'Algérie et des colonies était remplacé par le Conseil supérieur de la France d'Outre-Mer[7].

Les expatriés : oubliés, soupçonnés… mais mobilisés

Dès la fin de la Première Guerre mondiale, la nécessité d'une meilleure organisation et, surtout, d'une véritable représentation institutionnelle suscitait l'assentiment des communautés françaises à l'étranger.

Deux exemples suffisent à mettre en lumière les effets pernicieux de l'absence de leur représentation en France. Quand, pendant la Première Guerre mondiale, le

---

6. Henri Joucla, *Le Conseil supérieur des colonies et ses antécédents*, Paris, Éditions du monde moderne, 1927, p. 377.
7. M. Lampué, « Les attributions de l'Assemblée de l'Union française », in *Évolution du droit public*, Mélange Mestre, p. 359.

Parlement décida que les enfants des morts pour la Patrie pouvaient devenir pupilles de la nation, il évinça les enfants de ces Français venus de l'étranger répondre à l'appel de la nation, avec souvent les pires difficultés, pour tomber au champ d'honneur.

Quand, un peu plus tard, fut votée la loi sur les dommages de guerre, là encore les Français de l'étranger sinistrés, notamment en Belgique, furent écartés du bénéfice de la loi. Malgré leur nombre, ils n'avaient aucun député, aucun sénateur pour rappeler leur existence et défendre leur cause.

Grâce au sénateur André Honnorat[8], le premier oubli sera finalement réparé. Pas le second. Alors que plus de mille noms figurent sur le seul monument aux Français de Genève morts pour la France, il faudra attendre 2004 pour qu'une reconnaissance officielle leur soit octroyée au plan national avec l'apposition par l'AFE d'une plaque commémorative aux Invalides avec ces simples mots « *Ils avaient la France au cœur, ils sont venus mourir pour elle[9]*. »

Très longtemps, trop longtemps, la France s'est désintéressée de ses enfants qui quittaient le sol natal,

---

8. D'abord député, puis sénateur et ministre de l'Éducation, originaire de Barcelonnette, André Honnorat (1878-1950) sera le fondateur en 1918 du Comité de protection et d'éducation des orphelins de guerre et des fils de Français résidant à l'étranger avant de créer, l'année suivante, la Cité internationale universitaire.

9. Plaque réalisée à l'initiative de l'auteur, alors première vice-présidente du CSFE, avec le soutien du ministère des Anciens combattants et de la Fédération des anciens combattants hors de France (FACS), inaugurée par le ministre de la Défense, Michelle Alliot-Marie, par celui des Anciens combattants, Hamlaoui Mekachera, et par le président de la FACS, le commandant Henry-Jean Loustau.

d'où le renoncement de beaucoup de jeunes à leur nationalité d'origine. Jusqu'à une date récente, ce désintérêt s'accompagnait aussi – ou s'expliquait par – une certaine suspicion. Comment imaginer en effet que l'on pouvait de bon cœur quitter une France où il faisait si bon vivre ? Jusqu'au Code civil de 1803, le Français partant à l'étranger perdait automatiquement sa nationalité.

Les Français étaient en fait peu nombreux à quitter leur sol natal. L'intolérance politique et le fanatisme religieux avaient certes jeté des centaines de milliers d'entre eux sur les routes de l'exil au XVIIe siècle et, au XIXe siècle, un million et demi de personnes, essentiellement des provinciaux assez éloignés de Paris, béarnais, basques, corses, auvergnats ou bretons avaient quitté le pays. Mais, proportionnellement, cette émigration est toujours restée très inférieure à celle des autres pays européens. C'est ainsi que lorsque la République argentine décida, en 1955, que les 4 millions d'étrangers résidant sur son territoire devaient se prononcer sur l'acquisition ou non de la citoyenneté argentine, on y dénombra 36 000 Français contre 2 100 000 Italiens, 830 000 Espagnols, 110 000 polonais, 88 000 Russes ou encore 60 000 Allemands.

Cette faiblesse numérique de la présence française à l'étranger s'expliquait par la démographie (en 1921, la France, sortie exsangue de la Grande Guerre, comptait moins de 40 millions d'habitants), mais aussi par l'absence relative de ces phénomènes de famine et de pauvreté qui avaient entraîné dans d'autres pays une émigration de masse. En France le départ a toujours relevé d'une démarche individuelle, même lorsqu'il s'inscrivait dans le cadre de l'expansion coloniale amorcée par la création de la Nouvelle France. L'importance de l'émigration a par ailleurs été fortement réaffirmée dès la fin du XIXe siècle. Les Français de l'étranger « *exportés ou expatriés* » sont alors vus comme un vecteur essentiel d'influence et les valeurs d'universalisme et de service du pays sont affirmées comme substrat de l'incitation au départ.

C'est là un changement d'attitude remarquable. C'est ainsi que le président Albert Lebrun assignera comme premier devoir aux Français de l'étranger celui du témoignage et de l'exemple, et que l'on lira au tournant du siècle qu'« *il faut émigrer pour réformer nos idées, retremper nos caractères, développer nos industries et notre commerce extérieur, sauvegarder notre influence au-dehors*[10] ». Selon François de Tessan, secrétaire d'État aux Affaires étrangères, « *chaque Français de l'étranger est un pionnier qui a la mission de répandre autour de lui les bienfaits de notre culture et de notre civilisation* ». Dans ce même esprit, le président Vincent Auriol assigna à chaque Français expatrié, le devoir d'assurer la « *défense des causes* » de la France.

L'Union pour les Français de l'étranger, première structure de coordination (1927)

La création du Conseil supérieur des Français de l'étranger (CSFE) doit beaucoup à un expatrié, Gabriel Wernlé[11], éditeur du *Journal français* à Genève, reconnu par ses contemporains comme un homme courageux, visionnaire et désintéressé. Dès 1924, « *ce missionnaire de l'idée française et de son expansion, apôtre de la fraternité des expatriés en la métropole et*

---

10. Père M. Piollet, *La France hors de France*, Paris, 1900.
11. Gabriel Wernlé (1880-1959) crée l'UFE en 1927 et, un an plus tard, son magazine, *La Voix de France*. Il sera secrétaire général de l'UFE pendant trente-deux ans, jusqu'à son décès.

leur défenseur vigilant[12] », élabora un plan de « *secrétariat permanent de liaison* » des colonies françaises avec la métropole.

De ce projet, repris par les deux congrès des Français de l'étranger organisés par la Ligue maritime et coloniale en 1925 et 1926, naîtra un Bureau permanent de liaison, qui donna lui-même naissance en 1927, avec l'appui du président Briand, à l'Union pour les Français de l'étranger (UFE). Cette organisation fédéra l'ensemble des associations ou groupements de l'étranger, sociétés d'assistance ou de bienfaisance, mutuelles, amicales et chambres de commerce. Son but affirmé, déjà explicite dans la dénomination choisie, « Union *pour* les Français de l'étranger », était de permettre à ceux-ci de mieux se faire connaître et comprendre en métropole. « *Vous allez rudement embêter le Quai d'Orsay* », avait alors dit avec humour, le président Briand, conscient de l'impact possible d'une telle organisation sur le traitement des questions relatives à la présence française dans le monde, jusque-là prérogative absolue des chancelleries et du ministère des Affaires étrangères[13]. Il est d'ailleurs significatif que le premier président choisi ait été un ambassadeur : Henry de Jouvenel (président de 1927 à 1935). La plupart des présidents de l'UFE, hormis Ernest Pezet (1945-1960) et Maurice Schuman (1961-1967), tous deux sénateurs, et Gérard Pélisson, le dernier président en exercice, élu en 1997 et

---

12. Ernest Pezet, 20 août 1959, Archives Ernest Pezet, FNSP, Carton PE 10.
13. *La Voix de France*, 1959, p. 1469. À rapprocher de B. Badie, *Le Diplomate et l'Intrus*, Paris, Fayard, 2008 : « *Encore aujourd'hui, les non-professionnels ne sont pas les bienvenus sur la scène diplomatique.* »

cofondateur du groupe Accor, seront également des diplomates[14].

Les congrès organisés tous les deux ans par l'UFE de 1928 à 1938 firent apparaître que les demandes essentielles des expatriés étaient l'exercice du droit de vote hors du territoire national et l'obtention d'une représentation directe à l'Assemblée.

Bien que reconnaissant le bien-fondé de cette double revendication, l'administration centrale et les gouvernements successifs y étaient très hostiles, en raison du principe de souveraineté territoriale mais aussi par peur d'une demande de réciprocité.

Gabriel Wernlé eut alors l'idée de proposer la création d'un conseil auprès du ministre des Affaires étrangères, analogue à celui des Colonies qui existait avant la guerre de 1914-1918, afin que les expatriés puissent faire entendre directement leur voix dans la métropole. Le congrès de l'UFE de 1936 émit un vœu en ce sens. Il lui faudra douze ans pour aboutir.

Des avancées liées aux efforts des mouvements de résistance à l'étranger (1943-1945)

La forte mobilisation des expatriés dans la Résistance et pour la libération du territoire remit la question à l'ordre du jour avant même la fin de la Seconde Guerre mondiale.

Le mémorandum du 25 février 1943, adressé par le général de Gaulle au général Giraud, envisagea la création d'un Conseil consultatif de la Résistance française

---

14. Après Henry de Jouvenel, les autres ambassadeurs présidents de l'UFE furent Henry Berenger, également sénateur (1935-1945), Louis Joxe (1969-1978), François Seydoux (1978-1981) et Bruno de Leusse (1981-1997).

composé de personnalités issues des mouvements de résistance, de parlementaires « *non symboliques de la capitulation et de la collaboration avec l'ennemi* », de représentants des territoires libérés de l'Empire, d'économistes, de syndicalistes, d'universitaires et de représentants des « *associations de citoyens français à l'étranger*[15] ». Son but était de « *donner une expression à l'opinion des Français* [...] *en attendant la libération totale du territoire* ».

L'ordonnance du 17 septembre 1943 prévoyait la création d'une Assemblée consultative provisoire « *chargée de fournir une expression aussi large que possible* [...] *de l'opinion nationale* ». Elle poursuivait un double objectif, politique et stratégique : introduire les mécanismes parlementaires dans la structure gouvernementale et donner une tribune officielle aux mouvements de Résistance afin de favoriser le ralliement au général de Gaulle. Strictement consultative, elle ne disposait d'aucun pouvoir législatif, et ne pouvait même pas interpeller le Gouvernement provisoire[16].

Réunie pour la première fois à Alger, du 3 novembre 1943 au 25 juillet 1944[17], l'Assemblée consultative

---

15. Cette recommandation du général de Gaulle est d'autant plus intéressante qu'aucun des premiers projets constitutionnels de la France libre ou de la résistance intérieure ne semble avoir prévu la moindre représentation des Français de l'étranger. Jean-Éric Callon, *Les Projets constitutionnels de la Résistance*, Paris, La Documentation française, p. 198-199.

16. J.-É. Callon, « L'Assemblée consultative provisoire d'Alger », in *Les Projets constitutionnels de la Résistance, op. cit.*, p. 236.

17. Ces sessions d'Alger furent, selon André Hauriou, « *les plus originales et, probablement, les plus utiles* » (*in* René Cerf-Ferrière, *L'Assemblée consultative vue de mon banc, novembre 1943-juillet 1944*, Paris, Les Éditeurs français réunis, 1974).

comptait 84 membres, répartis en quatre catégories dont 40 issus de la résistance métropolitaine, choisis par le Conseil national de la Résistance, 20 parlementaires, 12 représentants des conseils généraux et 12 représentants de la résistance hors de métropole, choisis par les délégués de la résistance métropolitaine. Trois mois plus tard, l'ordonnance du 6 décembre 1943 augmentait le nombre de représentants de la Résistance, et faisait notamment passer à 21 ceux de la résistance extra-métropolitaine. Ces 21 représentants, dont cinq membres pour les Comités français à l'étranger, restaient choisis par les délégués de la résistance métropolitaine[18].

Lorsque l'Union des Français de l'étranger reprit, le 31 octobre 1944, la diffusion de ses circulaires, c'est avec émotion qu'elle annonça cette représentation des organisations de résistance des Français de l'étranger à l'Assemblée nationale consultative par cinq délégués en soulignant « *l'importance symbolique* » de cette décision.

La présence d'une femme parmi ces représentants (aux côtés du père Carrière, dominicain du Caire, de l'ancien président de chambre de commerce en Argentine Albert Guérin, du Commandant Boillot, plus connu sous son nom d'écrivain de Félix de Grand-Combe et du physicien atomiste de New York Francis Perrin) est à souligner. Marthe Simard, déléguée de la Résistance au Canada, a été en effet la première femme membre de l'Assemblée nationale consultative ; elle resta la seule femme parmi les 83 membres de l'Assemblée jusqu'à ce que l'Assemblée regagne Paris après la Libération et que

---

18. Émile Katz-Blamont (secrétaire général), *L'Assemblée consultative provisoire : composition, organisation, méthodes de travail,* Paris, Imprimerie officielle du gouvernement général d'Algérie, août 1944, p. 15-16.

le nombre de ses membres soit porté à 248[19] dont neuf autres femmes.

Mme Marthe Simard fut ainsi la toute première femme « parlementaire » en France et s'exprima de la tribune d'un hémicycle avant même que le général de Gaulle n'institue, par sa célèbre ordonnance du 21 avril 1944[20], l'égalité de droits politiques entre hommes et femmes. Il revenait donc à une Française de l'étranger d'incarner cette révolution institutionnelle !

Représentés au Conseil de la République mais pas à l'Assemblée nationale

La présence des Français de l'étranger dès 1943 au sein de l'Assemblée consultative provisoire avait suscité l'espoir d'une représentation au sein de la future Assemblée constituante. La commission d'étude de la réforme de la Constitution, créée à Alger en janvier 1944, avait d'ailleurs proposé, outre le droit de vote des femmes et des militaires, celui des Français de l'étranger. Mais l'ordonnance du 21 avril 1944, portant organisation des pouvoirs publics en France après la Libération, ne leur accorda aucun siège à la Constituante.

Le 7 novembre 1944, à l'occasion de l'installation solennelle de l'Assemblée nationale consultative au

---

19. Soixante députés et sénateurs, choisis par vingt parlementaires ayant refusé les pleins pouvoirs au maréchal Pétain et désignés proportionnellement à la représentation des partis politiques, 148 membres pris parmi les partis, syndicats et mouvements de résistance représentés au Conseil national de la Résistance, 28 membres issus des mouvements de résistance hors de métropole, 12 représentants des territoires d'outre-mer.
20. Ordonnance d'Alger du 21 avril 1944 (art. 17) : « *les femmes sont électrices et éligibles dans les mêmes conditions que les hommes* », et loi du 5 octobre 1944.

Palais du Luxembourg où elle siégea jusqu'au 3 août 1945, le président de l'Assemblée, le député Félix Gouin, souligna pourtant la légitimité de la présence des Français de l'étranger : « [notre] *Assemblée représente dignement la France, la plus grande France et l'Empire. On y trouve des représentants de ces Français de l'étranger qui, pendant l'épreuve, ont maintenu farouchement dans le monde la volonté de lutte pour la libération et la restauration de la grandeur de la Patrie.* »

En juin 1945, dans une proposition de résolution, les cinq représentants des Français de l'étranger à l'Assemblée invitèrent le Gouvernement provisoire à insérer des dispositions en faveur des leurs[21] : « *Les Français de l'étranger sont trop étroitement solidaires des éléments divers de l'unité nationale pour qu'on puisse leur reprocher l'existence d'intérêts qui leur sont propres. La notion d'intérêts exclusivement propres à un groupe quelconque de citoyens a d'ailleurs été admise par notre droit public qui en prévoit les cadres (commune, canton, arrondissement, département) et les organes. Ceci rend inacceptable toute solution qui consisterait à rattacher ces colonies à une circonscription métropolitaine.*

« *La justice exige donc que ces intérêts soient représentés, comme le sont ceux de nos compatriotes de métropole, par un mandataire élu siégeant au Parlement. Mais ce n'est pas seulement la justice qui demande que le législateur remédie à cette situation, c'est aussi l'intérêt national.*

« *Il est inadmissible que la carence de la loi écarte plus longtemps du scrutin une catégorie de citoyens qui peuvent se prévaloir d'une expérience qui les rend*

---

21. Documents de l'Assemblée consultative provisoire, 2ᵉ session ordinaire du 7 juin 1945, annexe n° 459, p. 528.

parfois plus aptes que leurs compatriotes de la métropole à formuler un jugement éclairé sur la politique internationale et certains aspects de la vie nationale. »

Cet appel ne fut pas entendu. Le référendum du 21 octobre 1945 et les élections du même jour aboutirent à la réunion d'une Assemblée constituante sans aucun mandataire des communautés françaises à l'étranger.

Le premier projet constitutionnel du 19 avril 1946, prévoyant une assemblée unique élue au suffrage direct[22], ne leur laissa lui non plus aucune place. La proposition de représentation au Parlement, évoquée en commission, avait été écartée à la suite d'« *objections péremptoires* » de certains députés.

Les principales objections étaient liées au regard que porterait le droit international sur une élection organisée par la France à l'étranger. La question du respect de l'intégrité de la souveraineté des États en cas de vote d'étrangers sur leur territoire, s'avérait récurrente, et le sultan du Maroc rappela par exemple lors des élections pour la deuxième Assemblée constituante que les Français du Maroc ne pourraient voter sans son assentiment.

Une solution était d'instaurer un principe de réciprocité. Mais certains dénonçaient un « *réel danger de créer un précédent susceptible de se traduire en France par des troubles lorsque des étrangers* […] *prétendraient eux aussi à une vie politique plus ou moins étendue de leur pays d'origine* », d'autant plus que « *le nombre des Français à l'étranger est bien inférieur au nombre des étrangers sur notre territoire et des difficultés pourraient en jaillir, comme la difficulté de refuser au*

---

22. Débats de l'Assemblée nationale constituante, *Journal officiel*, n° 52, p. 2045.

gouvernement italien la possibilité que ses ressortissants de France aient eux-mêmes des élus[23] ».

On peut d'autant plus regretter une telle décision qu'elle a contraint l'illustre Pierre Clostermann, héros des Français libres et désireux de continuer à servir la France, à se faire élire à la deuxième Constituante le 2 juin 1946 pour y représenter non les Français de l'étranger comme il l'aurait souhaité, mais ceux du Bas-Rhin !

L'entrée au Parlement grâce à l'introduction du bicamérisme (1946)

Après le rejet par référendum du premier projet constitutionnel en mai 1946, une deuxième Assemblée constituante prit le relais de la première. La Constitution du 27 octobre 1946 instaura un système parlementaire bicaméral, avec une Assemblée nationale, élue au suffrage universel direct, et un Conseil de la République[24], élu au suffrage universel indirect.

La loi du 27 octobre 1946 sur la composition et l'élection au Conseil de la République prévoyait que les « *Français de l'extérieur* » devaient y être représentés. Parmi les cinquante sièges à pourvoir par élection par l'Assemblée nationale, huit étaient attribués « *en vue de la représentation des Français résidant hors du territoire de la République française* », dont cinq pour les pays de protectorat et trois pour « *les autres pays*[25] ».

23. Requête adressée par les sociétés françaises de Madrid au gouvernement français, *La Voix de France*, n° 10 juin 1946, p. 7.
24. Dénomination de la deuxième chambre jusqu'en 1958.
25. Les citoyens français du Maroc étaient représentés par trois conseillers et ceux de Tunisie par deux (résolution de l'Assemblée nationale du 13 décembre 1946) ; les conseillers de la République représentant les Français d'Algérie étaient cinq (décret du 8 novembre 1946).

Alors que les deux assemblées devaient être élues sur une base territoriale, le fait que le Conseil de la République, considéré par beaucoup comme une « *Assemblée plus consultative que délibérante, essentiellement législative et non politique*[26] », soit élu au suffrage universel indirect levait la plupart des obstacles liés au principe de souveraineté.

Ce « *premier pas vers une véritable représentation au Parlement des colonies sans pavillon* » suscita l'espérance des Français hors de France. Leurs associations dénonçaient cependant la désignation des représentants par la seule Assemblée nationale. Elles y voyaient la preuve « *qu'il est difficile de parler d'une représentation des Français de l'étranger puisque ceux-ci ne les ont pas choisis eux-mêmes et qu'ils n'ont pas même été consultés*[27] ». Elles s'inquiétaient également de ce que, à aucun moment lors de la discussion, le mot « *étranger* » n'eût été prononcé, ce qui leur laissait craindre que « *les trois sièges pour les autres pays* » correspondraient aux sièges que la Constituante souhaitait réserver aux Français des territoires sous mandat, à savoir le Togo et le Cameroun[28].

L'Assemblée nationale, chargée de préciser les modalités de cette représentation, mit fin à l'inquiétude. Par une résolution du 13 décembre 1946, il fut décidé que

---

26. M. Coste-Floret, rapporteur général de la Commission des institutions ; Assemblée nationale constituante, 28 septembre 1946, *Journal officiel*, 29 septembre 1946, p. 4190.

27. *La Voix de France*, n° 14, février 1947, p. 1.

28. « *Ce n'est que dans la première quinzaine de décembre que l'on parla pour la première fois de l'étranger, et que l'on comprit que cette expression d'"autres pays" désignait les pays étrangers indépendants de toute autorité Française* » (*La Voix de France*, n° 14, février 1947).

ces trois sièges de « conseillers de la République » (sur 320) devaient être confiés à des personnalités représentant respectivement des citoyens français résidant en Europe ou en Afrique, des Français d'Amérique et des Français d'Asie ou d'Océanie.

L'Assemblée décida également qu'à titre exceptionnel, elle désignerait elle-même ces trois représentants sans attendre que soit adopté leur mode de désignation définitif. Elle repoussa en outre la proposition du parti communiste d'attribuer les sièges aux grands partis en appliquant la proportionnelle.

La majorité pensait en effet que la politique et les partis ne devaient pas intervenir dans le processus de désignation, avis partagé par l'Union des Français de l'étranger, qui demanda à l'Assemblée de choisir ces trois conseillers en fonction de leurs compétences et non de leur appartenance politique, affirmant que les Français de l'étranger, « *à part quelques rares exceptions dues à des raisons géographiques, ne font pas de politique* », mais que, « *ayant constaté à diverses reprises que le Parlement est mal renseigné à leur égard et les questions qui les concernent n'ayant pas le même aspect à l'étranger que dans la métropole, ils désirent voter surtout pour assurer une meilleure défense de leurs intérêts* ».

Furent alors désignés en qualité de conseillers de la République Marius Viple (SFIO) pour les Français d'Europe et d'Afrique, Henri Longchambon (Rassemblement des gauches) pour ceux d'Amérique, et Marcel Baron (Parti communiste) pour ceux d'Asie et d'Océanie.

Un Conseil supérieur auprès du ministère des Affaires étrangères (1948)

Une représentation directe à l'Assemblée nationale ayant été refusée, la création d'un Conseil des Français de l'étranger auprès du ministère des Affaires étrangères apparaissait alors comme un palliatif possible.

Certes, l'octroi de trois sièges à la haute assemblée était un progrès, mais cette attribution s'était faite à un moment où celle-ci ne disposait que de prérogatives relativement limitées. L'UFE s'attela donc à convaincre les députés de l'utilité de créer un groupe de travail sur les Français de l'étranger à l'Assemblée nationale.

Parallèlement, la sympathie et le soutien des autorités à ces Français ayant tant fait pour la libération du territoire étaient manifestes. Ainsi, le président du Conseil, René Pleven, accueillit l'UFE à Matignon lors de son congrès de 1947, le premier à être organisé après la Libération, et rappela que lui-même, ayant résidé plus de dix ans à Londres, avait été un Français de l'étranger.

En préparation de ce congrès de 1947, dont un des buts essentiels était d'examiner à nouveau l'opportunité et les modalités de mise en place d'une représentation à l'Assemblée, la direction des chancelleries du ministère des Affaires étrangères avait consulté les postes diplomatiques sur la possibilité d'une représentation parlementaire des Français de l'étranger par le moyen d'un système de votation au sein des postes diplomatiques et consulaires. Cette consultation suscita néanmoins l'opposition des postes sondés.

Le représentant du ministère fit donc connaître au cours du congrès[29] qu'« *il y avait lieu d'abandonner*

---

29. IXe Congrès des Français de l'étranger, septembre 1947.

pour des raisons de principe, aussi bien que de fait, toute élection de parlementaires par leur soin[30] ». Aux yeux du ministère, en effet, « *un tel système comporterait de très graves inconvénients aussi bien en ce qui concerne les conditions dans lesquelles les Français de l'étranger pourraient être appelés à voter que les conséquences susceptibles d'en résulter sur le plan de la réciprocité pour les colonies étrangères établies en France* ».

Le congrès, tout en rappelant que « *les expatriés sont, en grande majorité, partisans d'une représentation directe au Parlement* », émit alors le vœu déjà présenté par Wernlé onze ans plus tôt. Il demanda expressément la création en métropole d'un organisme consultatif, composé de Français résidant à l'étranger et chargé de fournir des avis en vue de leur examen par le ministre sur les questions les concernant, ou relatives à l'expansion française. Le congrès demanda aussi la création de comités consultatifs représentant les colonies respectives auprès de l'ambassade ou de la légation.

La proposition du ministère des Affaires étrangères

Après le congrès, le ministère des Affaires étrangères réitéra son opposition à une représentation directe au Parlement dans une note à Ernest Pezet, président de l'UFE. Il y inclut cependant un « projet de CSFE » de quatre pages où il confirma que la création auprès du ministre des Affaires étrangères d'un Conseil supérieur ou Comité consultatif des Français de l'étranger « *ne se heurte pas aux mêmes difficultés* [et] *peut s'effectuer facilement et rapidement* ».

---

30. Note sur le Conseil supérieur des Français de l'étranger. Doct W/JA, Archives diplomatiques.

En fait, le ministère ne rejeta pas totalement l'idée d'une représentation à l'Assemblée nationale et souligna la possibilité d'une coexistence future de ces deux représentations : « *Dans l'état actuel des choses, un tel Conseil ou Comité pourrait rendre de sérieux services et contribuer utilement à l'étude de la représentation parlementaire avec laquelle elle est d'ailleurs fort bien conciliable*[31]. » La note du ministère ajoute que, « *vu les circonstances exceptionnelles, il est doublement nécessaire que les Français du dehors puissent se faire entendre des pouvoirs publics et en particulier du ministre des Affaires étrangères, leur avis sur les questions qui les intéressent directement pouvant différer de ceux de nos ambassadeurs et ministres plénipotentiaires* ». Elle souligna également qu'un tel conseil ne pourrait fonctionner utilement que s'il représentait « *réellement* » les Français de l'étranger. Or, il était difficile d'organiser rapidement des élections. Pour contourner la difficulté, il fut suggéré que, la plupart des colonies françaises à l'étranger étant organisées et leurs dirigeants étant librement choisis par leurs membres, le ministre pourrait appeler un certain nombre d'entre eux à siéger au Conseil supérieur.

On peut donc légitimement penser que c'est le refus du Quai d'Orsay d'accepter que les Français résidant à l'étranger soient représentés à l'Assemblée nationale qui conduisit à la création d'un Conseil supérieur.

Des débuts prometteurs (1948-1949)

Le 7 juillet 1948 un décret signé de Robert Schuman, alors Président du Conseil des ministres, et de Georges

---

31. « Projet d'un CSFE », 12 mars 1948, Archives Ernest Pezet, Fondation nationale des Sciences politiques.

Bidault, ministre des Affaires étrangères, institua auprès du ministre des Affaires étrangères le Conseil supérieur des Français de l'étranger. Son rôle devait être de « *fournir des avis sur les questions et projets intéressant les Français domiciliés à l'étranger ou l'expansion française* ».

Créer un tel conseil, avec des membres dispersés à travers le monde, dans des États sous domination et sous statut étranger, représentait une innovation extraordinaire. Pour la première fois, le Gouvernement avait jugé nécessaire de consulter, d'une façon permanente, les Français de l'étranger, ceux-là même qui, selon l'UFE, s'étaient sentis si longtemps délaissés, voire ignorés. Certes, créer un conseil supérieur n'avait en soi rien de bien nouveau et il y avait, nous l'avons vu, plusieurs précédents en France. Mais instituer, au lendemain de la Seconde Guerre mondiale, un organisme regroupant des citoyens français résidant aux quatre coins du monde dans des États étrangers souverains, tenait à la fois d'une audace et d'une témérité exceptionnelles. Comme le dira Louis Joxe à l'occasion du dixième anniversaire de sa création le 25 septembre 1958, c'était là un véritable « *tour de force* » avec de surcroît « *une valeur exemplaire pour beaucoup d'États* ».

La témérité et l'audace qui présidaient à une telle création contrastaient avec les réticences engendrées par la peur récurrente d'une politisation extrême des expatriés. Ainsi, sous le titre « Toute politique interdite aux étrangers », un article de *La Voix de France* rappelait que les expatriés devaient se tenir à l'écart de toute activité politique dans les pays où ils vivaient. L'article citait l'exemple de la Colombie, où un document officiel du responsable de l'information du gouvernement colombien faisait savoir qu'« *il est catégoriquement interdit*

aux citoyens étrangers résidant en Colombie d'interve-
nir dans des questions politiques de quelque nature que
ce soit, aussi bien si elles concernent leur pays d'origine
que si elles se réfèrent à notre nation ». L'article précisait que le simple fait de contrevenir à cette règle consti-
tuait « *un motif d'expulsion suffisant* ».

La latitude laissée par le ministre des Affaires étrangères, Georges Bidault, et par le Président du Conseil
des ministres, Robert Schuman, aux premiers membres
du Conseil pour fixer eux-mêmes le mode d'élection à
ce conseil et son fonctionnement était une autre innovation importante.

Aux termes du décret, le Conseil, présidé par le
ministre des Affaires étrangères, comprenait des
membres désignés par le ministre *ex officio* (les trois
conseillers de la République chargés de représenter les
Français de l'étranger, le président et le directeur de
l'Union des Français de l'étranger, le président de la
Fédération nationale des anciens combattants résidant
hors de France, le président de l'Union des chambres de
commerce françaises à l'étranger, le président de la
Fédération des professeurs de français résidant à l'étranger ou leurs représentants), et des membres désignés par
les associations françaises agréées par les missions
diplomatiques françaises : vingt membres titulaires,
accompagnés d'autant de membres suppléants représentant ces organismes français à l'étranger.

Le texte prévoyait qu'un arrêté désignerait, à titre
provisoire, les premiers représentants de ces organismes,
le Conseil devant présenter « aussitôt que possible » des
propositions relatives aux modalités d'élection de ces
représentants. Le Conseil devait se réunir au moins une
fois par an et élire chaque année ses deux vice-présidents, son secrétariat étant assuré par la Direction des

chancelleries et du contentieux du ministère des Affaires étrangères. Un arrêté du 23 septembre 1948 désigna les 20 titulaires et les 20 suppléants.

La première réunion du CSFE se tint les 11 et 12 novembre 1948 dans le salon de l'Horloge du Quai d'Orsay. Dans son discours inaugural, Robert Schuman insista sur sa joie de créer cet organisme unique au monde et de pouvoir ainsi « *donner aux Français habitant au-delà des frontières le moyen de faire entendre leur voix dans des questions parfois décisives qui engagent non seulement les intérêts matériels mais aussi moraux de ceux qui maintiennent leurs liens avec la Mère-Patrie* ». Il ajouta que ces Français avaient été « *trop longtemps négligés* » et « *pas utilisés comme ils le méritent dans le domaine de l'expansion française* ».

Le conseil se mit immédiatement au travail, au sein de trois commissions. La « commission A », chargée d'élaborer le projet de statut définitif du CSFE, adressa un questionnaire à toutes les communautés de l'étranger. La « commission B » fut chargée d'examiner le problème des dommages de guerre et la « C » d'étudier à la fois la réglementation des avoirs en métropole des Français résidant à l'étranger et l'extension éventuelle de la Sécurité sociale.

Réflexion sur les missions et le mode de désignation des représentants (1948-1949)

Au cours de l'intersession de 1948-1949, les commissions poursuivirent leur travail, en particulier la commission A, qui exploita au mieux les réponses à son questionnaire. Il apparut alors qu'une majorité souhaitait à la fois que les membres du Conseil soient élus par la « *colonie organisée* », c'est-à-dire par les groupements ou associations et que le nombre des délégués ne soit pas déterminé uniquement par l'importance numérique de la collectivité[32], mais aussi en tenant compte des intérêts culturels et économiques représentés par celle-ci et de sa situation géographique. Comme il s'agissait de donner au ministre des renseignements et des avis, il ne paraissait pas nécessaire qu'une collectivité, si nombreuse fût-elle, soit représentée par plusieurs délégués et il semblait en revanche indispensable que le plus grand nombre possible de pays puissent être représentés. Les commissions se réunirent en session plénière en février 1949 et étudièrent également les questions de double nationalité, de rapatriements et de passeports de service.

À l'ouverture de la deuxième session annuelle, le 26 septembre 1949, toujours dans le salon de l'Horloge et sous la présidence du secrétaire général du ministère, deux nouveaux vice-présidents furent élus et il fut créé un bureau permanent composé des deux vice-présidents et de trois autres membres.

Les réponses au questionnaire de la première commission furent débattues. Un comité de rédaction élabora le texte du projet de décret organisant les élections au CSFE et de l'arrêté fixant les conditions à remplir par les candidats, les modalités de l'élection et la désignation du collège électoral.

Sous le titre « Voici l'outil », l'éditorial de *La Voix de France* d'octobre 1949 (n° 33) indiqua que le Conseil avait proposé que les groupements de Français aient toute latitude pour choisir leur délégué là où ils l'entendraient : sur place, dans la métropole ou dans un autre État étranger, les regroupements de certains pays pouvant être

---

32. Hormis bien sûr les collectivités les plus nombreuses, celles de Belgique et de Suisse, qui préféraient que la représentation soit rigoureusement proportionnée au nombre de Français sur le territoire (*La Voix de France*, n° 31, juin-juillet 1949).

envisagés. En revanche, sur la question du suffrage universel, le principe d'une élection par l'ensemble des Français expatriés dans un pays donné était repoussé à l'unanimité au profit d'une « élection » par les associations. On considérait en effet que si le principe d'associer les citoyens résidant à l'étranger à la désignation des représentants était recevable, sa mise en œuvre n'était en revanche « *ni possible ni souhaitable* » et qu'il fallait plutôt encourager les Français à s'organiser et créer des associations pouvant désigner des délégués en leur sein. Il était également proposé de supprimer les suppléants afin d'obtenir une plus grande représentation d'États au Conseil et de permettre à tous les élus d'exercer les mêmes prérogatives, chacun pouvant déléguer ses pouvoirs à un autre conseiller.

Le directeur de l'UFE suggéra par ailleurs que le ministre, après consultation du Conseil, lui adjoigne quelques personnalités résidant dans la métropole et particulièrement qualifiées pour donner leur avis sur l'expansion nationale.

Un statut pour le CSFE (1949)

Le décret n° 49-1571 du 1er décembre 1949 portant statut du Conseil supérieur des Français de l'étranger (CSFE) et organisant les désignations de ses membres, fut publié, sous la signature du ministre des Affaires étrangères Robert Schuman, le 10 décembre 1949. L'article Ier définissait ses attributions : « *fournir au ministre des Affaires étrangères des avis sur les questions et projets intéressant les Français domiciliés à l'étranger ou l'expansion française et qui sont soumis à son examen par le ministre* ».

L'article 3 prenait acte de la décision de ne pas nommer de suppléants et précisait qu'en cas de décès, de démission ou de départ définitif d'un membre élu hors du pays ou de la zone qu'il représentait, survenu au cours des deux premières années de son mandat, il serait procédé à de nouvelles élections pour la durée du mandat restant à courir.

L'article 4 ajoutait aux membres de droit (présidents des quatre grandes associations UFE, chambres de commerce, professeurs et anciens combattants), les trois conseillers représentant alors les Français à l'étranger au Conseil de la République et le directeur de l'UFE.

L'article 5 précisait que les membres désignés par le ministre des Affaires étrangères, dont le nombre « *ne peut dépasser cinq* », devaient être « *choisis parmi les personnalités françaises jouissant d'une compétence reconnue dans les questions concernant les intérêts généraux de la France à l'étranger* ».

Quarante-cinq membres élus – au maximum – représentaient les associations de Français établis hors de France, selon les modalités prévues par un arrêté du 10 décembre 1949 publié le jour même au *Journal officiel*. Leur mandat était de quatre ans. L'arrêté prévoyait également le nombre de ces élus par pays ou par zone.

Premières élections (printemps 1950)

Les premières élections au CSFE furent organisées, au printemps de 1950, dans 70 pays d'Europe, d'Amérique, d'Asie et d'Océanie. Dix-neuf réunions du bureau permanent avaient été nécessaires pour trancher les questions relatives à ces élections[33] avant la publication de l'arrêté ministériel du 10 décembre 1949. Signé par Robert Schuman, celui-ci établissait que « *les membres élus sont*

---

33. Rapport du premier vice-président Ernest Pezet devant la 3e session du CSFE, 25 septembre 1950.

désignés par des collèges électoraux institués au siège de la mission diplomatique soit du pays, soit du chef-lieu de la zone constituant la circonscription électorale ».

Pouvait être candidat « *tout Français domicilié ou non dans la circonscription électorale, jouissant de ses droits civiques, et, s'il réside à l'étranger, immatriculé au consulat de sa résidence* » (article 4). Les candidats devaient se déclarer dans les délais fixés auprès du chef de la mission diplomatique. Si ce dernier ne les agréait pas, ils pouvaient faire appel au ministre, qui prenait l'avis du bureau permanent.

Le collège électoral, défini à l'article 5 de l'arrêté, était constitué sous la présidence et le contrôle du chef de la mission diplomatique du chef-lieu de la circonscription électorale. Ce dernier établissait la liste des organismes français du pays ou de la zone de sa résidence ; il présidait et contrôlait le corps électoral. Les organismes devaient avoir un président français et immatriculé, un conseil d'administration et des membres actifs français et immatriculés dans leur majorité.

Chacun des organismes français avait droit à deux délégués et, s'il comptait plus de cent membres, à un délégué supplémentaire par 100 membres ou fraction de 100 membres, français et immatriculés, avec un maximum de 10 délégués-électeurs par organisme. Chaque délégué au collège électoral disposait d'une voix, le vote par procuration ou par correspondance était admis.

Deux idées sous-tendaient cet arrêté : mieux connaître nos compatriotes expatriés en exigeant leur immatriculation dans les consulats et encourager leur regroupement en demandant qu'ils soient membres d'une association ou d'un « organisme » français pour pouvoir voter. Ce double critère, et le système électoral mis en place, restèrent en vigueur jusqu'en 1982.

Le nouveau CSFE (septembre 1950)

La troisième session du CSFE, la première après l'élection de ses membres, se tint à Paris, dans le salon de l'Horloge, du 25 au 27 septembre 1950. Y prirent part en tout 55 personnes : 8 membres de droit, 42 élus et 5 membres désignés par le ministère des Affaires étrangères. Quelques fortes personnalités se détachaient.

Parmi les élus, citons Pierre Clostermann, représentant des Français du Brésil, et, nous l'avons vu, député du Bas-Rhin depuis 1946[34]. Citons encore Henri Villeroy de Galhau, entré au Conseil dès 1948, Français de Sarre, où sa famille était établie depuis plusieurs générations. Homme de cœur et de devoir, il n'eut de cesse de lutter, toute sa vie durant, pour la réconciliation franco-allemande et ce, avant même les initiatives européennes de Schuman et Adenauer[35]. Quant aux membres désignés, ils incluaient le célèbre philanthrope et industriel René Seydoux, l'ancien député de Nice et secrétaire d'état Léon Barety, l'ambassadeur de France et membre de l'Institut, dernier président de la Compagnie du Canal de Suez, François Charles-Roux, ou encore Ernest Vatin-Pérignon, président de la Ligue maritime et coloniale.

---

34. Pierre Clostermann (1921-2006), né au Brésil, aviateur héros des Français libres, titulaire du nombre le plus élevé de victoires parmi les aviateurs français, élu député du Bas-Rhin en juin 1946, réélu député en 1951, cette fois pour la Marne, il restera membre du Conseil supérieur quatre ans, jusqu'au 28 mai 1954.

35. Henri Villeroy de Galhau (1904-1981) sera membre du CSFE de 1948 à 1967. Son fils, Claude Villeroy de Galhau, est élu à l'AFE depuis 2000. Pour une liste complète des membres du CSFE depuis 1948, voir l'étude de Claude Girault sur www.assemblee-afe.fr, rubrique « à lire ».

Un règlement qui privilégie l'action du bureau permanent

Au cours de cette troisième session de septembre 1950, le Conseil débattit du projet de règlement intérieur préparé par Roger Seydoux. L'idée maîtresse était que, le Conseil étant une institution à caractère consultatif, les affaires devaient être traitées par ses propres membres, et que, d'autre part, la vie du conseil ne devait pas cesser dans l'intervalle de sessions ne pouvant être qu'annuelles.

Le règlement intérieur du CSFE prouvait que le Conseil – incarné par son bureau permanent – loin d'être confiné à rendre des avis demandés par le ministre, était en fait appelé à des missions plus larges, puisqu'il stipulait expressément que le bureau permanent devait soumettre directement au ministre les questions intéressant les Français de l'étranger et recevoir « *les suggestions* » de ses membres : « *il les étudie s'il y a lieu avec les autorités, administrations et organisations compétentes, consulte éventuellement les membres du Conseil supérieur et prépare les réponses* ». Le bureau préparait les sessions du Conseil « *sous l'autorité du ministre* », sollicitait du ministre « *l'inscription à l'ordre du jour de la session suivante de toute question proposée à son étude par dix au moins des membres du Conseil* […] ».

Ce règlement confirmait donc un droit d'initiative au Conseil et à son bureau, ce qui suscitait des controverses, et la peur que le bureau permanent ne s'approprie une large part des attributions qui revenaient aux sessions plénières. Il fut donc rappelé que le bureau, organe d'exécution du Conseil, ne pouvait se substituer à lui sauf pour les questions urgentes pouvant se présenter entre deux sessions.

L'article 9 du décret de 1949 avait fixé la composition du bureau : deux vice-présidents et trois membres.

L'expérience ayant montré que ce nombre était insuffisant, le conseil porta à cinq le nombre des membres du bureau, élus au scrutin secret pour une année lors de la session ordinaire du Conseil et rééligibles.

Des méthodes de travail innovantes

Le Conseil devait se réunir *au moins* une fois par an, mais cette fréquence ne fut jamais dépassée ; son bureau permanent se réunissait lui une fois par mois.

Lors de chaque session, ouverte par le ministre ou son représentant, le premier vice-président sortant présentait un rapport général sur l'activité du bureau permanent lors de l'exercice précédent. Des rapports annuels étaient également présentés chaque année par les membres sur différents sujets. Lors des premières sessions, un problème était toujours exposé par le fonctionnaire compétent (à l'instar du statut des auxiliaires ou des ex-employés de Chine et du Levant, de l'aide aux rapatriés et aux sinistrés de Syrie, de la place protocolaire des membres du CSFE ou encore de la représentation au Conseil économique), puis la discussion s'engageait et un vœu était émis. En 1952, le Conseil décida que l'exposé de l'administration serait toujours précédé de l'exposé d'un rapporteur chargé de faire connaître le point de vue du CSFE. Ces exposés étant toujours suivis de débats, les délégués pouvaient exprimer leur avis ou poser des questions à l'administration, des projets et des vœux s'élaborant alors avant d'être votés lors de la dernière séance.

La présence de l'administration était toujours numériquement importante. Ernest Pezet nota ainsi que lors de la session de 1953 le ministère des Affaires étrangères était représenté par dix de ses agents et les autres ministères par vingt.

Le compte rendu de session était adressé aux chefs des postes diplomatiques et consulaires, à tous les services des Affaires étrangères et à toutes les administrations intéressées. Une note spécifique était aussi adressée au cabinet du ministre et au secrétariat général du ministère.

Les membres du CSFE participaient également à des commissions nationales et locales[36]. Le Conseil était ainsi représenté à la commission nationale des bourses par le président du bureau ou son représentant ainsi que par le président de la Fédération des professeurs français à l'étranger[37]. Il participait également à la Commission nationale des groupements de jeunesse et des groupements sportifs à l'étranger.

La Voix de France, publication mensuelle et « *organe officiel de l'Union des Français de l'étranger* », était chargée de publier les procès-verbaux officiels du Conseil. L'imbrication entre UFE et CSFE était très étroite, comme par exemple dans la programmation des émissions de radio diffusées par la Radio-Télédiffusion Française pendant dix minutes sur une base bihebdomadaire, à mettre au compte, pour le sénateur et secrétaire d'État Longchambon, de la « *bienveillance des pouvoirs publics* ». L'UFE ouvrit également, en 1959, les colonnes de *La Voix de France* aux trois sénateurs des Français de l'étranger pour leur compte rendu de mandat, et salua leur « *bel exemple de civisme* » : par leur « *union étroite dans l'action, par leur entente constante et, ajoutons-le, par leur discrétion politique : l'apolitisme de nos associations en tant que telles, leur esprit intégralement français, leur souci majeur des intérêts de la nation*

---

36. Arrêté du 19 mars 1955.
37. Décret du 16 août 1953 et arrêté du 23 août 1953.

par-dessus les idéologies particulières ont trouvé en eux des serviteurs fidèles et vraiment exemplaires ».

En 1955, le budget annuel du CSFE se composait d'une somme de 6 200 000 francs pour les frais de déplacement de membres du CSFE à l'occasion des sessions, et de 100 000 francs destinés à couvrir les frais de sténotypie et d'impression des comptes rendus de session.

L'UFE demanda cependant que le CSFE participe aux frais d'impression de *La Voix de France*, car « *si elle ne publiait pas les comptes rendus des travaux du Conseil supérieur et du bureau permanent ces deux organismes seraient à peu près complètement ignorés des Français de l'étranger dont ils émanent et desquels ils tirent leur autorité auprès du ministère de tutelle*[38] ».

Les grands dossiers des premières sessions

Dès la première session de 1948, furent abordés les problèmes essentiels en matière économique, sociale, éducative et économique.

Au lendemain de la guerre, les premières préoccupations étaient bien sûr liées aux dégâts occasionnés et comprenaient de nombreuses demandes de réparations et d'action sociale destinées à soulager « *ces sinistrés lointains que la France avait peut-être un peu tendance à oublier* ».

Premiers travaux, premiers succès

Pour les dommages de guerre, le Conseil créa une commission spéciale, demanda leur recensement par

---

38. *La Voix de France*, 1959, p. 1550.

l'Office des biens et intérêts privés et l'élaboration d'une loi relative à la réparation de ces dommages de guerre et à l'indemnisation des personnes morales. Pour l'indemnisation des dégâts subis dans certains territoires, il existait parfois des accords bilatéraux[39], mais personne n'avait obtenu le moindre versement ou examen du dossier. La loi d'octobre 1946 sur les dommages de guerre avait aussi prescrit qu'une *loi spéciale* déterminerait les conditions de réparation en l'absence d'accord de réciprocité entre États. Mais cette loi, dix ans plus tard, n'était toujours pas appliquée ! En guise de compromis, les parlementaires membres du Conseil acceptèrent alors la proposition du ministre de la Reconstruction de faire inscrire dans le budget de ce ministère une somme destinée au règlement des dommages de guerre dans les pays avec lesquels aucun accord n'aurait pu être conclu.

La réglementation des avoirs en métropole des ressortissants français de l'étranger ainsi que les difficultés créées par les modalités d'application du contrôle des changes furent à l'ordre du jour des premières réunions. Ces avoirs étaient en effet bloqués, alors même que les capitaux dont les Français de l'étranger auraient dû avoir la libre disposition étaient souvent importés. L'Office des changes, en vertu d'un arrêté du ministre des Finances, leur prescrivait l'emploi qu'ils devaient faire du produit de la vente de leurs biens, ce qui était considéré comme une mesure exorbitante, aussi vexatoire qu'inutile, privant ainsi des Français d'un droit garanti par la Constitution.

---

39. Par exemple le traité de paix franco-italien dans son article 78 mettait à la charge de l'Italie la réparation des dommages subis dans la péninsule entre 1940 et 1945 par les intérêts français.

Lors de la session de 1949, le premier vice-président, Gabriel Wernlé, s'était élevé contre le manque de suites données aux vœux présentés à la session de 1948. Mais des résultats probants arrivèrent peu à peu.

Finances et fiscalité

Ernest Pezet, dans son rapport général de 1950, exprima sa satisfaction devant les réponses positives reçues à propos de la question des avoirs à l'étranger, de la mise en place, suite à une demande du Conseil, d'un « compte capital » et de dispositions moins rigoureuses en matière de contrôle des changes, ainsi que la création d'émissions de radio destinées aux Français de l'étranger. Il souligna cependant l'urgence d'étudier les problèmes de la double nationalité, de l'extension de la Sécurité sociale et des dommages de guerre. Il rappela également la nécessité de lutter constamment pour éviter une aggravation de la fiscalité.

Les problèmes de fiscalité, et en particulier de double imposition, allaient en effet prendre une importance croissante et le Conseil émit un vœu, en 1953, demandant de généraliser les conventions d'établissement pour éviter la double imposition et notamment celle des mutations par décès. Déjà le Conseil notait qu'il « *rencontrait à la Direction générale des impôts certaines oppositions de fait malgré un accord de principe* » et demandait une brochure sur les droits et obligations des Français de l'étranger vis-à-vis du fisc, brochure qui fut publiée en 1955.

Protection sociale

Un des problèmes cruciaux des Français de l'étranger, frein important à leur expatriation, était la question de leur protection sociale.

Une commission d'étude des affaires sociales fut créée dès 1948 pour étudier en particulier les problèmes d'assurance vieillesse[40], de retraite des cadres et de prime à la natalité. L'exemple de l'assurance vieillesse helvétique, instaurée en 1948 avec près de 28 000 adhérents implantés essentiellement en Europe, fut ainsi examiné.

En 1950, un rapport de Seydoux soulignait la difficulté de principe à étendre hors des frontières des dispositions qui, dans tous les pays, relevaient de lois nationales réservant de par leur nature leur champ d'application aux territoires nationaux. Devant le caractère strictement territorial de ces dispositions, il réaffirmait la nécessité de multiplier et d'étendre au plus vite les accords internationaux.

Le CSFE nota alors que, si les assujettis à la Sécurité sociale résidant en France n'avaient pas droit aux prestations quand ils tombaient malades à l'étranger et vice-versa, la Sécurité sociale française pouvait participer librement et forfaitairement aux frais engagés par un assujetti pour le traitement d'une maladie contractée à l'étranger. Il signalait également que l'Office d'hygiène sociale de la Seine avait conclu avec des sanatoriums suisses une convention pour l'hospitalisation de certains malades tuberculeux. Le CSFE demanda donc, en mars 1955, que les accords de Sécurité sociale conclus avec divers États soient complétés.

Dès les premières années du CSFE des progrès importants furent enregistrés pour la protection sociale : accroissement du nombre des conventions internationales, acceptation de principe de la retraite des cadres,

---

40. Une ordonnance du 19 octobre 1945 octroyait la faculté de s'assurer volontairement pour les Français âgés assujettis à la Sécurité sociale.

extension de certaines formes de Sécurité sociale à des catégories particulières telles que les auxiliaires et les professeurs à l'étranger, maintien des droits à l'assurance vieillesse pour les Français s'expatriant et, même, dès 1953, extension du bénéfice des allocations maternité aux Françaises venant accoucher en France[41].

Peu à peu, l'action du CSFE en matière de sécurité sociale s'amplifia. Une loi ouvrit l'assurance vieillesse aux expatriés, leur permettant même de cotiser pour les années précédentes afin de se constituer leur retraite.

Enseignement

Pour les jeunes Français résidant à l'étranger, le conseil recueillit un franc succès en obtenant du Parlement et des services intéressés le lancement d'un programme de bourses scolaires, jetant ainsi « *les bases d'un système nouveau et cohérent dans un domaine où rien n'existait*[42] ».

Un vœu de 1952 avait demandé la prise en charge de cet enseignement par les collectivités françaises au même titre que celui des enfants résidant en métropole, tout en proposant « *des modalités d'application raisonnables*[43] ».

Le principe de l'allocation de bourses aux Français de l'étranger fut admis dès le vote du budget de 1953, un premier crédit de 8 millions de francs étant ouvert à cet effet.

---

41. *La Voix de France*, n° 89, novembre 1954, p. 662.
42. Document non publié sur le CSFE, archives d'Ernest Pezet, FNSP, p. 10.
43. *La Voix de France*, n° 89, novembre 1954, p. 662.

Le bureau créa également une commission spéciale mixte avec des représentants des administrations. Réunie deux fois au printemps 1953, celle-ci adressa des questionnaires et des circulaires à tous les postes diplomatiques et consulaires, procéda au dépouillement et à l'analyse des enquêtes et ne se sépara qu'après avoir élaboré un projet de décret et d'arrêté[44] visant à la création de commissions locales et d'une commission nationale chargées des programmes de bourses.

Le premier résultat, l'octroi de 672 bourses dans différents pays, pour une valeur totale d'environ 14 millions de francs de l'époque, fut annoncé lors de sa session du CSFE de septembre 1953. Ce programme, initialement réservé aux enfants de moins de 14 ans, rencontra un immense succès : 1 445 bourses furent distribuées dès 1954 aux enfants de l'hémisphère nord, dont la rentrée s'effectuait en septembre-octobre, et les crédits alloués à ces bourses furent portés à 35 millions lors du vote du budget. Pour les enfants de l'hémisphère sud, 3 400 bourses furent attribuées à partir de mars 1955.

Ce succès sera souligné par Louis Joxe, qui, en célébrant le 10e anniversaire du Conseil s'exclama : « *Vous avez, pierre par pierre, permis aux enfants de France qui vivent à l'étranger de recevoir une éducation qui rappelle celle de la Mère-patrie*[45]. »

La prise en charge de l'enseignement aux enfants français de l'étranger devait être assurée par l'Éducation nationale. Mais, ce principe se trouva vite confronté à l'hostilité du Maroc et de la Tunisie, qui estimaient que cet enseignement ne devait se faire que sous l'égide du ministère des Affaires étrangères.

---

44. Décret du 17 août 1953 et arrêté du 22 août 1953.
45. 22 septembre 1958, *La Voix de France*, p. 1391.

Parallèlement, le Conseil étudia les possibilités d'instituer un enseignement par correspondance et un enseignement par radio scolaire et évoqua l'enseignement technique.

L'enseignement par correspondance

Il fut mis en place et doté d'un crédit de départ d'un million de francs. Des circulaires d'application furent envoyées à tous les postes diplomatiques. Les études étaient gratuites. Seuls les frais de correspondance et l'achat des livres étaient à la charge des familles qui pouvaient toutefois demander la gratuité des frais d'affranchissement auprès des commissions locales des consulats.

Dès 1954, le Conseil fit part de son inquiétude quant à la crise des effectifs dans les établissements d'enseignement libre à l'étranger ou encore du non-accès des jeunes français d'Allemagne, non titulaires de la carte M.F.A., aux écoles françaises. Ainsi, à Baden-Baden, 500 enfants immatriculés étaient privés d'enseignement. Il souligna aussi l'affaiblissement de la pratique et de l'enseignement du français à l'étranger, rapportant qu'en Turquie par exemple, les États-Unis accordaient 2 100 bourses contre 19 pour la France, alimentant le débat interne qu'il avait initié sur le thème : « La langue française est-elle en régression ? »

Constatant, en 1955, que l'association Un monde bilingue, à laquelle adhérèrent 300 parlementaires et qui bénéficiait d'une subvention de la Commission des finances de l'Assemblée nationale, visait à rendre obligatoire l'enseignement de l'anglais dans toutes les écoles primaires – avec l'espoir d'obtenir une réciprocité en Grande-Bretagne et aux États-Unis – le Conseil exprima sa méfiance en rappelant toutefois « *que le choix par la France d'une seule langue obligatoire serait contraire à la position culturelle de la France dans le monde* ». Il demanda une enquête approfondie et suggéra qu'aucune aide officielle directe ou indirecte ne soit apportée à des initiatives susceptibles d'hypothéquer l'avenir.

Les jeunes

Dès ses débuts le Conseil porta une attention particulière aux jeunes, ce qui, comme le souligna *La Voix de France*, « *est naturel* » puisqu'ils « *représentent l'avenir des colonies françaises à l'étranger* ». Le rapporteur Paul Foret, représentant des Français de Barcelone, regretta que « *l'État se soit trop longtemps désintéressé de la question* » et demanda une enquête au ministère des Affaires étrangères sur les groupements français de jeunesse, sociétés sportives ou autres associations à l'étranger ; enquête qui dénombra une soixantaine de groupements, beaucoup étant particulièrement dynamiques.

Une Commission nationale des groupements de jeunesse et des groupements sportifs français à l'étranger fut créée par arrêté du 3 janvier 1955, à la suite d'un vœu émis lors de la session de 1954. Elle comprenait des fonctionnaires des ministères de l'Éducation nationale et des Affaires étrangères ainsi que des représentants du CSFE. Elle examina les demandes de subventions et tenta de suppléer la suppression des subventions du ministère aux colonies de vacances organisées par l'UFE, qui déplorait que l'État refusât en 1955 de soutenir financièrement les séjours d'enfants français de l'étranger, alors que nombre d'entre eux, issus de familles modestes, ne s'étaient jamais rendus en France et ne parlaient français qu'avec peine[46].

---

46. *La Voix de France*, avril 1955, p. 755.

Service militaire

Le Conseil demanda que le service national tienne compte des aspirations des conscrits tout en servant l'expansion française à l'extérieur des frontières nationales. Il proposa la centralisation dans un même bureau de traitement de l'ensemble des dossiers des jeunes Français de l'étranger susceptibles d'être incorporés et la prise en charge des frais d'acheminement des jeunes appelés vers les centres de conscription.

Par ailleurs, constatant que depuis 1951 les jeunes nationaux étaient incorporés systématiquement dans les armées aux États-Unis et en Australie, le Conseil demanda à ses parlementaires de présenter une loi de réciprocité, visant à incorporer dans l'armée française tous les jeunes Américains de 18 à 26 ans résidant sur le territoire français. Cette loi, connue comme « *loi Armengaud* » fut votée à l'unanimité par le Parlement et promulguée le 4 novembre 1953, mais elle ne fut en fait jamais appliquée.

Structuration des colonies

L'organisation des Français dans les pays d'accueil a été débattue tout au long des premières années d'existence du Conseil. Celui-ci demandait en particulier par la facilitation des procédures d'immatriculation et leur gratuité et il s'inquiétait de l'« *indifférence*[47] » de certains postes diplomatiques face aux besoins d'organisation. Suite à une suggestion du Conseil en ce sens, des circulaires furent envoyées dans les différents postes pour inciter leurs responsables à travailler au regroupement de ces Français et le ministre de l'Intérieur fit

---

47. *La Voix de France*, 1954, p. 665.

insérer dans la notice accompagnant chaque passeport une mention relative à la nécessité d'être immatriculé auprès des consulats.

Nationalité

C'est sans doute aussi en matière de *double nationalité* que le Conseil a montré de la manière la plus probante et directe son influence.

Une ordonnance du 19 octobre 1945 rendait inopposable à la France des naturalisations acquises avant 50 ans sans l'autorisation du gouvernement français, et ce pour toute la durée de la guerre. Dès sa session de 1949, le Conseil s'interrogea sur ce principe de double nationalité. Il enquêta très largement au cours de l'intersession auprès des colonies françaises et mit en évidence l'avis quasi unanime sur la nécessité d'admettre le principe de la double nationalité, malgré ses inconvénients. Beaucoup de Français se voyaient en effet contraints de prendre la nationalité de leur pays de résidence, ne serait-ce que pour améliorer leurs chances d'y obtenir un emploi ou de ne pas y subir de discriminations.

Le Conseil s'employa donc à convaincre le gouvernement de déposer un projet de loi maintenant la nationalité française à ceux qui obtenaient une nationalité étrangère par voie de naturalisation, à moins d'une renonciation expresse. Une loi du 9 avril 1954 lui donna satisfaction en permettant aux hommes d'acquérir une autre nationalité sans perdre la leur comme cela aurait dû se produire en stricte application du Code de la nationalité. Mais cette loi ne s'appliquant qu'aux hommes le Conseil continua de lutter pour étendre son application aux femmes. Le combat fut long, face à une forte opposition à la fois au Parlement et au Gouvernement. Le conseil obtint enfin satisfaction avec la loi du 9 janvier

1973, qui permit aux femmes acquérant une nationalité étrangère à la suite de leur mariage de conserver leur nationalité française. À propos de cette réforme, l'ancien garde des Sceaux, le professeur Jean Foyer, constata que « *l'on a mesuré à ce moment-là quelle était la puissance, je dirais même politique, que représentent les Français de l'étranger, ou tout au moins les organisations qui parlent en leur nom ; on a imposé au législateur, dans la réforme du Code de la nationalité, des dispositions qui permettent à des Français d'acquérir n'importe quelle nationalité sans perdre la nationalité française*[48] ».

Législation

Le Conseil effectua son travail de veille législative, conscient des effets néfastes que pouvaient avoir certaines lois sur les étrangers en France et, par voie de rétorsion, sur les Français de l'étranger. Ainsi en était-il d'un relèvement des taxes de séjour et des cartes de commerce d'étrangers résidant en France voté en février 1954 pour assurer un traitement aux élèves des Écoles normales supérieures françaises. Les parlementaires du Conseil ne purent empêcher le vote, mais le bureau demanda à ce que ces mesures ne soient pas appliquées.

Le Conseil s'éleva également contre la suppression du droit à pension aux anciens combattants ayant perdu la nationalité française et obtint le rétablissement de ce droit pour les pensions d'invalidité par mesure individuelle.

Le bureau intervenait régulièrement aussi dans la défense de cas individuels, en particulier dans les cas d'expulsion, fréquents en périodes troublées, comme par

---

48. « Travaux du Comité français de droit international privé », années 1975-1977, p. 193.

exemple en Inde avec les négociations sur la fermeture des établissements français du pays.

En 1952, il obtint un crédit de 60 millions de francs pour aider les rapatriés en proie à de grandes difficultés financières. Quinze millions et demi furent affectés au Comité d'entraide pour l'aménagement de sa résidence du château des Brullys. Des sommes complémentaires furent, l'année suivante, mises à disposition, à hauteur de 76 millions pour les ex-employés municipaux de Chine, pour ceux de l'armée du Levant et les sinistrés de Syrie.

Difficultés et déceptions

Il y eut aussi des échecs et ce, notamment en matière de fiscalité. Le CSFE s'interrogea dès 1954 sur la nature des impôts à payer par les Français n'ayant pas leur domicile principal à l'étranger, mais y ayant gardé un pied-à-terre.

Une surtaxe progressive avait en effet été créée par la loi du 10 avril 1954 pour les Français de l'étranger ayant des revenus immobiliers ou professionnels en France. Avant le vote de cette loi, les expatriés, qu'ils aient eu ou pas des revenus professionnels en France n'avaient pas à payer l'impôt général sur le revenu – ou surtaxe progressive – s'ils n'avaient pas de domicile en France. En revanche, les Français domiciliés à l'étranger mais ayant en France une résidence secondaire étaient assujettis à la surtaxe progressive sur un revenu fictif égal à cinq fois la valeur locative du pied-à-terre. Toutefois, s'ils avaient en France des revenus, la surtaxe progressive était calculée sur le revenu fictif ajouté au revenu réel né en France.

Un vœu fut ainsi émis la même année par le Conseil pour que « *soit évitée la réquisition des habitations dans lesquelles les familles françaises de l'étranger viennent régulièrement passer leurs vacances en France* ». Les sénateurs membres du Conseil firent alors introduire à l'article 32 une disposition visant à en limiter l'impact et à exclure de son application des pays comme la Belgique[49].

Protection sociale

Une deuxième source de déception résulta de l'insuffisance de la protection sociale à l'étranger. Le CSFE s'indigna ainsi que les Français de l'étranger soient toujours considérés comme les « parents pauvres » de la République. Il souligna par exemple que sur les crédits ouverts pour l'exercice 1955 au ministère des Affaires étrangères pour les frais d'assistance et d'action sociale au bénéfice des réfugiés et apatrides, 366 millions de francs étaient prévus pour les étrangers et seulement 76 millions pour les Français hors de France, dont 36 millions et demi seulement pour les frais d'assistance et d'action sociale – desquels devait être déduit le crédit destiné au comité d'entraide aux Français rapatriés pour le financement de la maison de retraite de Brullys –, 40 millions de francs allant aux frais de rapatriement.

Notoriété et médias

Un autre problème récurrent demeurait celui des difficultés du CSFE à être reconnu non seulement en France, mais également auprès des communautés françaises de l'étranger. S'il se réjouissait en 1954 de la décision du quotidien *L'Aurore* de créer une rubrique des

---

49. *La Voix de France*, p. 668. Cette question de la surtaxation de l'habitation en France restera longtemps sujet de débats, aucune solution n'apparaissant avant l'introduction devant le Conseil de la notion de « résidence habituelle » par M. Nicolas Sarkozy, alors ministre de l'Économie et des Finances.

Français de l'étranger et de la régularité des émissions radio bimensuelles de l'UFE, il s'insurgeait aussi du manque d'impartialité – que d'aucuns n'hésitait pas à qualifier d'antipatriotisme – parmi les correspondants de presse à l'étranger. Ainsi la FACS s'insurgea-t-elle auprès du CSFE contre une publication de l'Agence France-Presse à Hong Kong qui, « *après nos désastres d'Indochine, relate dans son bulletin publié par la presse chinoise locale* [...] *la joie éprouvée par les 25 millions d'Arabes d'Afrique du Nord lors de la chute de Diên Biên Phu, alors que les agences anglaises et américaines ont eu la sagesse et la dignité de taire cet événement préjudiciable au prestige français dans tout l'Extrême-Orient* », ajoutant qu'un vœu serait déposé au CSFE demandant une enquête et même des sanctions...

Le CSFE sous la Ve République

Le 26 septembre 1958, le général de Gaulle reçut les membres du Conseil à l'hôtel Matignon à l'occasion de sa 11e session, et à moins d'une semaine du référendum du 5 octobre sur l'adoption de la nouvelle Constitution.

Le vote à l'étranger accordé pour la première fois

La joie des Français de l'étranger devant l'avènement de cette Ve République fut d'autant plus nourrie que, pour la toute première fois, leur était accordée la possibilité d'un vote direct à l'étranger par correspondance, par l'ordonnance n° 58-734 du 20 avril 1958 portant organisation du référendum.

Ils participèrent donc massivement au référendum. Sur 373 316 votants, les Français de l'étranger mirent dans l'urne 355 163 oui et 15 246 non (96 % de « oui » !).

On remarqua, déjà, une importante abstention, liée apparemment à la « précipitation » avec laquelle avaient été établies les listes électorales, les consuls ne disposant pour cela que de leurs registres d'immatriculation et ces registres étant souvent erronés[50]. Les changements d'adresse non signalés entraînèrent le renvoi d'un nombre considérable de plis. *La Voix de France* remarqua l'absence « *d'une façon générale* » de réaction défavorable, sans doute en raison de l'usage quasi généralisé du vote par correspondance, mais signala les difficultés des Français de Suisse, qui avaient dû envoyer leurs votes dans les villes frontalières : « *les protestations auraient sans doute été plus nombreuses si des bureaux de vote publics avaient été ouverts partout dans les consulats* ». Afin d'illustrer son propos, cet article mentionna enfin la revue mensuelle des Suisses à l'étranger, *L'Écho*, qui écartait dans son numéro de juillet 1958 l'hypothèse d'un vote par correspondance au siège des ambassades ou consulats suisses à l'étranger pour ses propres ressortissants « *pour des raisons de droit public et de droit international* ».

Des inquiétudes latentes

Mais le bonheur d'avoir pu participer – pour la première fois – à un scrutin depuis l'étranger et de voir arriver cette Ve République fut vite terni par quelques inquiétudes.

Les expatriés éprouvaient la crainte d'une diminution du rôle du Conseil, celui-ci ne pouvant plus être réuni

---

50. *La Voix de France* note ainsi que la liste établie par la chancellerie consulaire au Danemark comprenait les noms de plus de cent personnes décédées ou ayant quitté le pays sur 449 électeurs supposés (n° 132, septembre 1958, p. 1585).

qu'une fois tous les trois ans. Un décret du 10 mars 1959 modifiant la structure du Conseil stipulait en effet que « *le Conseil supérieur se réunit sur convocation du ministre des Affaires étrangères chaque fois que celui-ci le juge nécessaire, soit en séance plénière, soit en sections* ». Cette disposition fut interprétée comme la possibilité pour le ministre de ne les réunir que par sections, soit une fois tous les trois ans.

Par ailleurs la mission du Conseil semblait réduite et ne plus inclure « *l'expansion nationale* » mentionnée dix ans auparavant. Selon l'article 1 du nouveau décret, « *le CSFE est appelé à fournir au ministre des Affaires étrangères des avis sur les problèmes intéressant les Français établis hors de France et sur les projets qui sont soumis à son examen par le ministre* ».

L'avènement de la Ve République fut aussi l'occasion pour le Conseil de s'interroger sur son rôle et sur le mode d'élection de ses membres.

Ici et là on regrettait la part déterminante prise par les ambassades dans le choix des délégués, personnalités souvent éminentes mais pas toujours au fait de la vie et des préoccupations des membres les moins favorisés des communautés françaises. Certains délégués, pouvait-on lire dans *La Voix de France*, « *ne représentent effectivement qu'une petite partie de la colonie et n'ont aucun rapport avec le plus grand nombre de ses membres*[51] ».

L'augmentation du nombre des membres du Conseil, du fait notamment de l'obligation d'y intégrer en 1958 des Français des anciens pays de protectorat, alimentait également les craintes d'une limitation de son influence et de son efficacité. Aux membres de droit, avec voix

---

51. *La Voix de France*, n° 139, mai 1959, p. 1501.

consultative seulement, s'ajoutaient les anciens sénateurs représentant les Français établis hors de France
ayant accompli un mandat de plus de neuf ans tandis que
le nombre des membres nommés par le ministère des
Affaires étrangères passait à dix et que concomitamment
cent membres étaient élus par les associations les plus
importantes.

La représentation au Sénat

La Constitution du 4 octobre 1958, en rendant à la
haute assemblée son nom de Sénat et l'essentiel de ses
pouvoirs, reconnut le principe de la représentation parlementaire des Français de l'étranger et l'inscrivit dans
son article 24 : « *Les Français établis hors de France
sont représentés au Sénat.* »

L'ordonnance n° 58-1097 du 15 novembre 1958 portant loi organique relative à la composition du Sénat disposait ainsi, en son article Ier, que « *les Français établis
hors de France sont représentés par six sénateurs* ». L'ordonnance n° 58-1098 précisa que les conditions d'élection des sénateurs représentant les territoires d'outre-mer
ainsi que celles des sénateurs représentant les Français
établis hors de France devaient faire l'objet de lois ulté-
rieures dans un délai au terme fixé le 31 mars 1959.

L'ordonnance du 4 février 1959 étendit cette représentation à six sénateurs désormais « *élus par le Sénat,
sur présentation de candidats par le Conseil supérieur
des Français de l'étranger* ».

Le CSFE se vit donc reconnaître un rôle clef dans
cette nouvelle organisation institutionnelle. Il lui incom-
bait ainsi de présenter au Sénat la liste des candidats
dressée par ses trois sections géographiques : Afrique
avec trois sièges, Europe-Amérique avec deux sièges et
Asie-Océanie avec un siège. La section Afrique était la

plus importante, avec trois sièges, alors que sous la IVᵉ République elle était agrégée à l'Europe et n'avait qu'un seul siège.

Chaque section géographique élisant au scrutin majoritaire son ou ses représentants, l'assemblée plénière du Conseil se prononçait sur ces propositions, qu'en principe elle confirmait. La liste de présentation des candidats ainsi désignés, composée de six noms, nombre égal à celui des sièges à pourvoir, était alors communiquée au Sénat.

Dans ce processus de désignation, le Sénat ne disposait donc que d'un pouvoir d'opposition, qu'il ne tenta d'utiliser qu'une seule fois, en 1980. Ne pouvant substituer son choix à celui arrêté par le Conseil, sa seule faculté était d'exprimer, dans un délai d'une heure après la communication officielle de la liste émise par le Conseil, sa désapprobation. Faute de quoi, les personnalités proposées par le Conseil étaient élues[52].

Les « nouveaux » Français de l'étranger (1958)

Dès les années 1950 s'était profilée une grave inquiétude quant à la situation des Français dans les pays de protectorat, en particulier ceux de Tunisie, incités à aller s'y établir depuis 1884 mais menacés par la fin du protectorat.

En 1958, la question des « nouveaux » Français de l'étranger, c'est-à-dire les Français du Maroc, de Tunisie et du Viêt-nam[53], impliquait un nouveau découpage

---

52. Cf. Joëlle Garriaud-Maylam, « La représentation parlementaire des Français de l'étranger, 60 ans d'une histoire mouvementée », *Revue politique et parlementaire*, printemps 2004.
53. 260 000 Français au Maroc et 90 000 en Tunisie (estimation M. Basdevant, *La Voix de France*, p. 1392) contre respectivement 350 000 et 180 000 auparavant, et de 20 000 à 25 000 au Viêt-nam.

des circonscriptions africaines et alimentait surtout une interrogation quant à la nature de l'élection et au maintien du système jusqu'alors en vigueur.

Les membres du CSFE qui élisaient les sénateurs étaient en effet jusqu'alors issus de groupements d'associations et non d'individus, alors que les élections au Maroc ou en Tunisie « *avaient un caractère particulier et souvent politique* » et qu'il était difficile de créer des associations dans d'anciens protectorats ou membres de l'Union française[54] « *particulièrement susceptibles* », selon l'expression utilisée par un de ses membres, M. Debacq. René Seydoux, vice-président de l'UFE, s'interrogeait quant à lui sur la manière d'assurer la représentation sénatoriale sans groupements locaux pour en désigner les électeurs[55].

Le décret du 10 mars 1959 annonçait des dispositions transitoires « *ceux-ci seront nommés par décret parmi les personnalités les plus représentatives des Français résidant dans ces pays* », et l'article 19 ajoutait qu'« *un décret précisera avant le 31 juillet 1961 les modalités de l'élection des délégués appelés à remplacer ces membres désignés* ». Une semaine plus tard, le décret du 17 mars 1959 nommait 43 membres à titre provisoire pour représenter les Français du Maroc (25), de Tunisie (10) et de l'ex-Indochine – Viêt-nam, Cambodge et Laos (8) –, précisant bien que ces nombres étaient provisoires.

L'inquiétude fut à son comble, face à ce qui apparaissait comme l'introduction d'un profond déséquilibre

---

54. Au Maroc, l'article 17 du dahir, réglementant le droit d'association, précise que les partis politiques ou associations à caractère politique doivent être constitués uniquement par les nationaux marocains (*La Voix de France*, p. 1439).
55. *La Voix de France*, p. 1392.

et d'une grande inégalité de représentation entre les différentes communautés françaises. Ainsi, comment légitimer l'attribution de 25 délégués au Maroc et 10 à la Tunisie alors qu'il n'y en avait que deux pour les 110 000 Français des États-Unis ?

Le Conseil se composait donc de 86 membres élus auxquels devaient être ajoutés 6 sénateurs, 5 membres de droit et 5 membres désignés par le ministre, soit un total de 102 membres.

La dernière réunion du CSFE tel qu'il existait depuis 1948 eut lieu le 24 avril 1959 et fut l'occasion d'émettre de vives et unanimes protestations sur la nomination par les pouvoirs publics d'électeurs représentant des communautés installées dans des États ayant acquis récemment leur indépendance, et sur l'absence de consultation quant à l'intégration de ces nouveaux Français de l'étranger.

De même, on déplora la réduction du nombre de sénateurs à élire par les anciens Français de l'étranger. Paradoxalement en effet, le doublement du nombre de sénateurs était surtout organisé pour permettre la réélection de trois sénateurs sortants. L'amertume fut ainsi profonde et avivée par la défaite annoncée d'Ernest Pezet, alors président de l'UFE et sénateur sortant.

Le CSFE n'en continua pas moins ses travaux et enregistra encore de grands progrès, en matière d'enseignement, de fiscalité ou encore de protection sociale, avec le soutien des sénateurs membres du Conseil. Ainsi le sénateur André Armengaud créa, dès 1965, un système de retraite pour les Français expatriés et, en juin 1980, une proposition de loi de Jean-Pierre Cantegrit permit d'attribuer la sécurité sociale aux non-salariés et aux retraités français résidant à l'étranger.

Un Conseil élu au suffrage universel (1982)

De 1959 à 1982 de très nombreux textes ont progressivement permis d'améliorer la représentativité du Conseil en élargissant sa base territoriale afin de mieux l'adapter aux fluctuations de la population française à l'étranger[56]. Parallèlement une loi organique du 31 janvier 1976, complétée par la loi du 7 juillet 1977, institua le vote des Français établis hors de France lors des élections présidentielles, européennes et référendaires dans des centres de vote ouverts dans les postes diplomatiques ou consulaires avec l'assentiment des États concernés. La toute première élection au Parlement européen au suffrage universel direct, intervenue en 1979, vit pour la première fois les Français de l'étranger voter personnellement dans leurs consulats. Beaucoup de membres du CSFE en profitèrent pour demander l'extension du collège électoral et la révision des modalités de leur élection[57]. L'Association démocratique des Français de l'étranger (ADFE), créée en 1980 pour, selon le quotidien *Le Monde*, « *briser le monopole de l'Union des Français de l'étranger (UFE) et de ses nombreuses émanations locales*[58] », fit de l'élection des membres du Conseil au suffrage universel une de ses premières revendications. François Mitterrand, en arrivant à la présidence de la République, répondit à cette attente.

---

56. Ordonnance n° 59-260 du 4 février 1959, complétée par l'ordonnance n° 59-389 du 10 mars 1959, modifiée par les décrets n° 59-469 du 10 mars 1959, n° 60-1223 du 17 novembre 1960, n° 62 1416 du 26 novembre 1962, n° 71372 du 21 mai 1971, n° 71808 du 23 septembre 1971, n° 75766 du 12 août 1975, n° 77430 du 18 avril 1977 et n° 81 27 du 13 janvier 1981.
57. Note de M. J. Sandeau, délégué de Chine, Corée et Philippines. Tokyo, 25 septembre 1979.
58. *Le Monde*, 25 mai 1982.

Une loi du 7 juin 1982[59] instaura en effet l'élection des délégués au CSFE au « suffrage direct », mais maintint la présence de 21 membres choisis pour leur compétence par le ministre des Affaires étrangères. 460 000 expatriés étaient inscrits sur les listes consulaires et la toute première élection des « délégués » CSFE au suffrage universel direct eut lieu le 23 mai 1982, alors même que la loi ratifiant le décret du 22 février instituant la proportionnelle au plus fort reste n'avait pas encore été votée au Parlement.

Cette élection fut saluée en ces termes par *Le Monde* : « *Jusqu'ici la centaine de délégués au CSFE, chargés de désigner les six sénateurs, étaient choisis, presque à la sauvette, par quelques notables français de l'étranger réunis au sein de diverses associations "apolitiques" souvent liées à l'UFE.* […] *Leurs six sénateurs sortants sont, du reste, tous dans l'opposition, qu'ils soient de mouvance centriste, giscardienne ou radicale valoisienne. M. Mitterrand, le 10 mai 1981, ne l'a emporté que dans huit pays alors qu'il y a des Français dans pratiquement tous les États de la planète, M. Giscard d'Estaing obtenant au contraire des résultats frisant parfois les 95 % de votants* ». *Le Monde* ajoute que « *l'idéal, pour mettre à égalité sur le plan électoral les "hexagonaux" et les "émigrés" eût été de permettre aussi à ces derniers d'avoir des députés* […], *mais cela aurait alors sans doute entraîné des problèmes avec certains pays hôtes* ». Le quotidien soulignait que la Suisse, invoquant sa neutralité, était allée jusqu'à refuser que la consultation électorale se déroulât dans les consulats installés sur son sol, certains autres États

59. Loi n° 82-471 du 7 juin 1982 relative à l'Assemblée des Français de l'étranger.

comme l'Allemagne fédérale ou l'Union soviétique demandant que la consultation dans les consulats ait lieu par correspondance uniquement, « *afin d'éviter les attroupements*[60] ».

Le Monde ajoutait qu'au-delà de l'enjeu politique du 23 mai, le rôle joué ou pouvant l'être par les résidents français à l'extérieur restait plus que jamais de première importance pour un pays dont le rang mondial dépendait surtout de la conquête de nouveaux marchés et du maintien de son poids culturel spécifique. Hommes d'affaires et enseignants étaient ainsi présentés comme « *les deux piliers de la présence française dans le monde* ».

Une autre loi du 18 mai 1983 réserva l'élection des sénateurs aux seuls membres élus du CSFE[61] qui passèrent progressivement de 136 à 150, le nombre de ces sénateurs étant, lui, porté de 6 à 12 par la loi organique du 17 juin 1983. La représentation au Parlement des Français établis hors de France était toujours fondée sur l'article 24 de la Constitution de la Ve République, mais désormais c'était une loi qui déterminait la composition du Conseil et le mode d'élection de ses membres.

Vingt ans plus tard, le CSFE trouva une vraie consécration. La loi constitutionnelle du 28 mars 2003 relative à l'organisation décentralisée de la République introduisit à l'article 39 de la Constitution la notion d'« *instances représentatives des Français de l'étranger* ».

---

60. *Le Monde*, 25 mai 1982.
61. Loi n° 83-390 du 18 mai 1983 relative à l'élection des sénateurs représentant les Français établis hors de France.

L'Assemblée des Français de l'étranger en 46 questions

Comment définiriez-vous l'Assemblée des Français de l'étranger ?

L'AFE est l'instance représentative des Français établis hors de France. Elle est à ce titre un rouage important du fonctionnement de notre démocratie républicaine puisqu'elle est l'expression politique et le défenseur de près de deux millions et demi de citoyens français. Instaurée par la loi du 9 août 2004 et succédant au Conseil supérieur des Français de l'étranger (CSFE), elle est composée de 180 membres, 155 élus au suffrage universel direct, 12 sénateurs, 12 personnalités qualifiées nommées par le ministre des Affaires étrangères et le ministre lui-même, président de droit de l'Assemblée.

Quel est son rôle essentiel ?

L'AFE remplit une double mission, consultative et électorale. Elle est « *essentiellement chargée de donner au gouvernement des avis sur les questions et projets intéressant les Français établis hors de France et le développement de la présence française à l'étranger* ». Elle peut remplir ce rôle de conseil en réponse à une question transmise par le secrétaire général du gouvernement ou par le ministre des Affaires étrangères. Elle peut aussi intervenir de son propre chef. Son président, le ministre des Affaires étrangères, définit ses objectifs et ses priorités. Elle est, par ailleurs, un collège électoral, puisque ses 155 membres élus élisent à leur tour les sénateurs représentant les Français établis hors de France.

En août 2004, l'Assemblée des Français de l'étranger succède au Conseil supérieur des Français de l'étranger. Pourquoi ce changement d'appellation ?

Il était devenu indispensable de renforcer la visibilité et la représentativité de l'institution tant auprès de la collectivité nationale que des Français de l'étranger eux-mêmes, de changer cette image d'un « conseil supérieur » comme il en existe tant, pour mettre l'accent sur son changement de nature depuis l'élection de ses membres au suffrage universel.

Selon les termes du rapporteur du texte au Sénat, Christian Cointat, il fallait « *rendre plus perceptible, plus compréhensible pour les électeurs le nom de l'assemblée qui les représente* [par] *une formule simple, claire, facile à comprendre et à situer* ».

Il fallait également se rapprocher du droit commun en matière de collectivités locales. La notion de « *collectivité des Français établis hors de France* », s'inscrit ainsi dans la hiérarchie institutionnelle française, parallèlement aux collectivités territoriales. L'AFE, en tant qu'« *assemblée représentative des Français de l'étranger* » fait partie des « *instances représentatives* » prévues par l'article 34 de la Constitution[1]. Le régime électoral des instances représentatives, et donc de l'AFE, relève expressément du domaine de la loi. C'est là une avancée juridique particulièrement importante qui implique une évolution dans les prérogatives de cette instance représentative. Sans parler bien sûr de pouvoir exécutif comme c'est le cas pour les départements, il est évident que cette réforme en appelle d'autres et que l'AFE doit obtenir des pouvoirs délibératifs dans certains domaines actuellement dévolus à l'État et qui pourraient lui être transférés, par exemple l'adoption de son budget ou une consultation sur les nominations tant des personnalités qualifiées au sein de l'AFE qu'à d'autres postes. Dans cette logique de montée en puissance, les membres de l'AFE ont abandonné le titre un peu désuet de « délégué » des Français de tel ou tel pays, pour le remplacer par celui de « conseiller ».

Quelles sont les nouveautés de l'AFE par rapport au CSFE ?

Il est important de rappeler tout d'abord que cette réforme a été voulue par les élus du CSFE eux-mêmes. Outre une meilleure visibilité de l'assemblée, ils souhaitaient l'adapter aux enjeux de la mondialisation ainsi qu'aux modifications structurelles de la présence française à l'étranger, avec l'accroissement important du nombre de Français expatriés dans certaines zones, ou

---

1. Cette notion, introduite pour la première fois en 2003, se trouvait alors à l'article 39 de la Constitution qui disposait que « [...] *les projets de loi relatifs aux instances représentatives des Français établis hors de France sont soumis en premier lieu au Sénat* ». Cette prééminence du Sénat en ce domaine a été supprimée à la demande de l'Assemblée nationale en juillet 2008.

encore le départ des forces militaires françaises longtemps stationnées en Allemagne. La carte électorale a été révisée en profondeur et le nombre de circonscriptions porté de 48 à 52, avec des sièges supplémentaires pour les pays à fort accroissement du nombre de Français.

Il fallait également remédier à la faiblesse de la participation aux élections de ses membres en la dotant des moyens de jouer pleinement son rôle. Une Commission temporaire de la réforme a été constituée à cet effet en septembre 2000 et ses conclusions, adoptées à l'unanimité du bureau permanent le 8 février 2003, ont servi de base à la réforme.

Les missions essentielles de l'Assemblée ne sont pas vraiment modifiées, mais les élus y prennent plus de poids. Leur nombre passe de 150 à 155 et le représentant de la communauté française d'Andorre, qui était désigné, est désormais élu. Parallèlement, le nombre des personnalités qualifiées nommées par le ministre des Affaires étrangères est ramené de 20 à 12. Celles-ci ne peuvent, comme c'était le cas auparavant, résider à l'étranger, voient leurs prérogatives réduites et perdent leur voix délibérative. Il fallait en effet éviter que des membres non élus puissent faire basculer la majorité d'une assemblée issue du suffrage universel. On compte aujourd'hui parmi ces « personnalités qualifiées », nommées pour six ans et renouvelées par moitié tous les trois ans, le président et le délégué général de l'Union des Français de l'étranger, les présidents de l'Association démocratique des Français de l'étranger, de l'Union des chambres de commerce et d'industrie françaises à l'étranger, de la Fédération nationale des anciens combattants établis hors de France, du Comité national des conseillers du commerce extérieur et du Comité d'entraide aux Français rapatriés, ou encore le représentant des aumôneries catholiques à l'étranger.

N'est-il pas surprenant qu'une assemblée représentative soit présidée par un ministre et qu'un certain nombre de ses membres soient nommés et non élus ?

Certes, il est assez paradoxal que ce soit un ministre, membre de l'exécutif, qui préside une assemblée d'élus et que celle-ci comprenne également des membres nommés par lui. Il est certain que la plupart des membres de l'AFE souhaiteraient qu'à terme leur assemblée ne soit composée que d'élus et puisse élire elle-même son président.

Mais il ne faut pas oublier le poids de l'histoire, ni le statut un peu particulier de l'AFE, assemblée consultative, conseiller du gouvernement, en particulier du ministre des Affaires étrangères, son président.

Assemblée que l'on pourrait qualifier d'extraterritorial, l'AFE subit le contrecoup de ce statut un peu hybride, innovant mais hors normes. Contrairement à des assemblées territoriales, conseils généraux, régionaux ou municipaux, elle ne peut lever d'impôts. Elle ne dispose pas de ressources propres et son budget dépend entièrement de celui du ministère des Affaires étrangères, dans le cadre du programme 151 de la mission budgétaire « Action extérieure de l'État ».

Le CSFE, ancêtre de l'AFE, a été créé pour conseiller le ministre dans les domaines relevant de la présence et de l'expansion françaises à l'étranger. C'est une mission à laquelle l'AFE reste très attachée et il est important que ce lien intrinsèque avec le ministère des Affaires étrangères, symbolisé par la présidence du ministre, puisse se maintenir, voire se renforcer. L'AFE ne peut d'ailleurs que se féliciter de l'étroite collaboration et du soutien manifesté tant par ses présidents successifs, que par les services administratifs du ministère, en premier lieu la Direction des Français à l'étranger et des étrangers en France (DFAE).

Le fait que la présidence exercée par le responsable du Quai d'Orsay, en droit plus qu'en fait, soit déléguée au collège des vice-présidents de l'AFE ne résout pas la question de l'autonomie de l'assemblée. La maîtrise de l'ordre du jour ne lui appartient pas, même si le collège des vice-présidents est consulté et peut exprimer les souhaits des membres. Tout projet de réforme de son statut vers plus d'autonomie avec attribution de fonctions délibératives mettrait en jeu cette présidence. L'édifice institutionnel des Français établis hors de France, concrétisé par la réforme constitutionnelle de 2003 créant « les instances représentatives des Français établis hors de France » conduit logiquement à la création d'une collectivité publique. L'étape suivante pourrait être un mouvement de déconcentration avec transfert de compétences à une même personne morale. La présidence pourrait perdre de sa substance, sans disparaître totalement. À terme, il est certain qu'une assemblée d'élus doit être présidée par un élu.

Le maintien au sein de l'AFE de personnalités qualifiées, héritage des premières années de formation du CSFE, est enfin une marque de reconnaissance envers ces grandes associations qui, à l'instar de l'UFE, ont été à l'origine de sa création ou ont contribué à son développement, et qui sont, aujourd'hui encore, vecteurs de solidarité transfrontière.

Quels sont donc désormais les champs de compétence de l'AFE ?

Si l'AFE reste placée sous la présidence du ministre des Affaires étrangères, son rôle de conseil est désormais étendu à l'ensemble du gouvernement. Élus représentatifs des diverses communautés françaises à l'étranger, les membres de l'Assemblée veillent à la défense de leurs intérêts moraux et matériels. En premier lieu, ils exercent une veille et une vigilance constantes pour que les lois et règlements en cours d'élaboration prennent bien en compte la situation spécifique des expatriés et ne puissent entraîner de discriminations insidieuses. Ils concourent à l'action législative de leurs douze sénateurs en vue d'améliorer la situation de leurs compatriotes, soit en leur demandant de déposer des propositions de loi ou des amendements, soit en manifestant leur appui aux propositions et amendements déposés par ces parlementaires.

L'AFE est aussi un des canaux par lesquels s'exerce la solidarité nationale. Celle-ci se doit de dépasser les frontières en s'exerçant partout où vivent nos compatriotes. Bien sûr, la tradition juridique française se base sur un principe de souveraineté territoriale et il n'est pas toujours possible d'exporter les aides sociales ou juridiques dont peuvent bénéficier les citoyens résidant en France. Les Français ignorent souvent que leurs compatriotes de l'étranger doivent payer les frais de scolarité de leurs enfants, n'ont pas droit aux prestations sociales familles nombreuses ou ne peuvent percevoir l'assurance chômage sur leur lieu de résidence hors de l'Union européenne. Les conseillers de l'AFE s'appliquent à remédier à ces limitations. Ils interviennent notamment sur les questions relatives à la scolarisation des enfants des expatriés en veillant à la juste application du système de bourses et du principe de gratuité voulu par le président de la République, à l'exercice de leurs droits civils et civiques (nationalité, état civil, droits de vote et d'éligibilité), à leur protection sociale (assurance maladie-maternité, assurance vieillesse, retraite), et en restant attentifs à leurs problèmes économiques (emploi, formation professionnelle) ou fiscaux. Ils élaborent des rapports et des résolutions. Ils soumettent des avis motivés au Premier ministre, adressent des vœux aux ministres ou des motions pour orienter l'action de l'administration. Ils peuvent aussi les interpeller par des questions écrites ou, lors des assemblées plénières et des réunions de bureau, par des questions orales ou d'actualité.

Qui sont les membres de l'AFE, comment sont-ils désignés ? Ont-ils tous les mêmes droits et prérogatives ?

Outre le ministre des Affaires étrangères, les 180 membres de l'Assemblée des Français de l'étranger sont de trois origines. Il y a d'abord les 155 conseillers, élus pour six ans au suffrage universel direct par les Français expatriés. Tous les Français établis à l'étranger et inscrits au registre mondial des Français établis hors de France peuvent élire leurs représentants à l'AFE, directement, par correspondance ou, depuis la loi du 28 mars 2003, par Internet. La liste électorale consulaire est aussi utilisée pour les scrutins nationaux organisés à l'étranger, c'est-à-dire l'élection présidentielle et les référendums. Le renouvellement des conseillers est effectué par moitié, tous les trois ans. Élus de terrain, ils ont une connaissance des situations locales qui permet à toute l'Assemblée de disposer des informations nécessaires pour exercer sa mission. Ces 155 conseillers forment le collège électoral chargé d'élire les 12 sénateurs représentant les Français établis hors de France, membres eux aussi de l'AFE. Ces sénateurs sont membres de droit de l'Assemblée et ne sont pas électeurs aux élections sénatoriales. Leur mandat, autrefois de neuf ans, a été réduit à six ans en application de la loi n° 2003-697 du 30 juillet 2003 portant réforme de l'élection des sénateurs. Sénateurs et conseillers élus de l'AFE peuvent parrainer un candidat à la présidence de la République.

Quant aux 12 personnalités qualifiées, nommées pour six ans par le ministre des Affaires étrangères, « *en raison de leurs compétences dans les questions concernant les intérêts généraux de la France à l'étranger »,* elles n'ont qu'une voix consultative, à l'inverse des conseillers et sénateurs, qui ont voix délibérative et peuvent en outre parrainer un candidat à l'élection du président de la République. Elles ne peuvent donc plus voter les vœux et motions, ni participer aux diverses désignations dévolues à l'AFE.

Quelles sont les activités professionnelles des membres élus de l'Assemblée ?

Elles reflètent la diversité et la richesse des parcours à l'étranger : on y trouve enseignants, chefs d'entreprise, ingénieurs, avocats, consultants, médecins, un restaurateur, un ancien ambassadeur ou encore un agriculteur-éleveur d'Argentine. Nombre d'entre eux sont double-nationaux.

Et quelle est l'origine des candidats au Sénat ?

Les candidats émanent essentiellement de l'Assemblée. Les candidats extérieurs ne recueillent généralement pas ou peu de suffrages. Rien en droit n'exclut bien sûr une candidature extérieure, mais l'expérience a prouvé que les conseillers préféraient élire l'un des leurs, sur la base du travail effectué tant dans le pays de résidence qu'à l'Assemblée.

Cette tendance a été sans cesse confortée depuis 1983, date de la première élection des sénateurs par les grands électeurs français de l'étranger élus eux-mêmes au suffrage universel direct. Cette situation est comparable à celle de l'élection des sénateurs dans les départements : les candidats sont en majorité des élus locaux et territoriaux. On élit en général quelqu'un qui a fait ses preuves.

155 électeurs pour 12 sénateurs, même dans le cadre de deux élections de six sénateurs chacune, c'est assez peu, non ?

Certes. Il faudrait agrandir le collège électoral, et l'on pourrait par exemple imaginer l'élection dans chaque pays de comités consulaires, dont les membres seraient élus au suffrage universel direct en même temps que les membres de l'AFE et qui travailleraient étroitement avec les autorités consulaires du pays. Cela permettrait une meilleure représentation « de proximité » dans des pays où le nombre d'expatriés est relativement faible. Si je prends l'exemple de la zone Asie du Sud-Est qui regroupe neuf pays, nous n'avons que trois élus, qui résident respectivement au Viêt-nam, en Thaïlande et en Indonésie. Ce qui implique que, malgré la qualité de leurs trois représentants, les Français installés au Brunei, au Cambodge, au Laos, en Malaisie, aux Philippines et à Singapour n'ont pas véritablement d'élu de proximité immédiate, vivant au quotidien les situations de leurs pays respectifs. De même la zone d'Europe centrale et orientale comprend 13 pays et n'a que trois élus, deux en résidence en Autriche et un en Pologne.

Une telle réforme permettrait, en élargissant le collège électoral des sénateurs, de renforcer leur légitimité démocratique, d'améliorer la visibilité de l'institution et de créer un maillage encore plus efficace dans le soutien à nos populations et à l'administration consulaire. Une telle double structure, tant à Paris auprès du ministère des Affaires étrangères qu'auprès de nos diverses implantations diplomatiques et consulaires, était celle imaginée par le congrès de l'UFE en 1947. C'est aussi un peu celle qui existe en Italie avec le Conseil général des Italiens de l'étranger au niveau national et les « COMITES » au niveau local.

Que recouvre l'appellation de « Français établis hors de France » ?

L'article Iᵉʳ de l'ordonnance n° 2005-461 du 13 mai 2005 dispose que l'expression « *Français établi hors de France* » désigne « *toute personne de nationalité fran-çaise ayant sa résidence habituelle hors du territoire national* ». L'ensemble de nos compatriotes résidant dura-blement hors du territoire national (c'est-à-dire la France métropolitaine et les départements et territoires d'outre-mer), est donc concerné. L'expression avait d'ailleurs été utilisée en 1958 dans l'article 24 de la Constitution « les Français établis hors de France sont représentés au Sénat ». Celle couramment utilisée de « Français de l'étranger » est un peu réductrice dans la mesure où l'on ne peut guère considérer les États membres de l'Union européenne comme des États « étrangers ».

J'aurais personnellement préféré, au moment de la réforme de 2004, que l'on reprenne cette expression, mais je n'ai pas été suivie, car cela aurait alourdi le sigle en un AFEHF, loin de notre souci de simplification exprimé par le choix d'« AFE » !

Quel est le nombre de Français établis hors de France et quel est leur profil ?

Il est impossible de donner un chiffre exact pour cette population, mais les estimations vont de 2 300 000 à 2 500 000. Le seul chiffre précis dont nous disposions est celui du registre mondial des Français établis hors de France, renseigné par les postes diplomatiques et consulaires installés à travers le monde. Au 31 décembre 2007, le nombre d'immatriculations à ce registre s'élevait à 1 326 087 dans plus de 160 pays avec 45 % de binationaux, 51,2 % de femmes et 30 % de mineurs de 6 à 17 ans. On compte environ 606 000 actifs travaillant en majorité dans le secteur tertiaire (cadres supérieurs, professions intellectuelles) et dans une moindre mesure dans l'industrie, les chefs d'entreprise représentant 10,5 % de ces expatriés. La majorité, 50,7 %, réside en Europe, 13,2 % étant installés en Amérique du Nord, 7,6 % en Afrique francophone, 8,1 % au Proche et au Moyen-Orient, 6,6 % en Afrique du Nord, 6,4 % en Asie-Océanie et 6,1 % en Amérique centrale et du Sud. La proportion de doubles nationaux varie considérablement : 79 % au Proche et au Moyen-Orient, 70 % en Afrique du Nord et seulement 24 % en Asie-Océanie. Suisse, États-Unis, et Royaume-Uni sont les trois pays où le nombre d'inscrits au registre dépasse les 100 000.

La population expatriée n'a cessé de croître ces dernières années. Entre 1995 et 2007, le nombre d'inscrits a progressé de plus de 47 %, soit un taux d'augmentation moyen de 3,3 % par an. Un afflux dû à la mondialisation, qui favorise la mobilité économique internationale. C'est aussi une population jeune, avec 85,6 % de moins de 60 ans, en particulier dans les pays industrialisés, où la moyenne d'âge tourne souvent autour de 30 ans (29 ans à Londres !). Depuis 2007, ces données sont rassemblées grâce à une application informatique appelée Racine.

Entre 1 326 000 et 2 300 000, voire 2 500 000, Français résidant hors de France, cela fait une grosse différence. Comment l'expliquez-vous ?

Tout le monde s'accorde en effet à dire que ce registre est très incomplet. La raison en est que l'inscription, si elle est nécessaire pour pouvoir bénéficier de la protection et des services consulaires (renouvellement de la carte nationale d'identité ou du passeport, inscription sur une liste électorale en France…) et des aides françaises à l'étranger (bourses scolaires, allocations d'assistance…) n'est pas obligatoire. Beaucoup de nos compatriotes n'en ressentent pas l'intérêt ou oublient de renouveler leur inscription. Des études complémentaires menées dans huit pays – six pays d'Europe où les communautés françaises sont les plus importantes et les mieux connues, ainsi qu'aux États-Unis et au Canada – permettent de penser que la marge est au minimum de l'ordre de 33 %. Ce qui implique que la population réelle des Français installés à l'étranger est supérieure à 2 millions de personnes, soit 3,5 % de la population active, soit encore l'équivalent de la population du département des Bouches-du-Rhône ou des quatre départements d'outre-mer réunis.

Précisons que l'inscription consulaire est une démarche simple et gratuite, qui peut s'effectuer par Internet. Elle nécessite de remplir trois conditions : justifier de son identité, de sa nationalité française et de son domicile à l'étranger. L'inscription sur le registre consulaire est valable cinq ans. Elle peut être modifiée ou supprimée à tout moment sur demande de l'intéressé.

Cet accroissement récent de l'expatriation n'entraîne-t-il pas une fuite des cerveaux, dommageable pour notre pays ?

Malgré un accroissement récent de l'expatriation, nos compatriotes restent peu enclins à quitter leur « douce France ». Une étude récente de l'OCDE montre que, ces dernières quinze années, seules 2,3 % des personnes nées en France ont émigré vers d'autres pays industrialisés, un chiffre très inférieur au taux d'expatriation des natifs de Suisse (6,8 %), du Royaume-Uni (6,4 %), d'Italie (4,6 %) ou d'Allemagne (4,3 %) et qui place la France au 20ᵉ rang des pays européens ! Même en ne tenant compte que des personnes ayant suivi des études supérieures, la France reste le 16ᵉ pays de l'Union en terme d'expatriation : le taux dépasse 4 %, loin derrière celui des natifs qualifiés du Royaume-Uni, qui s'élève à 12 %. On ne peut donc pas parler de fuite, d'exode ou d'émigration, mais plutôt de migration, de mobilité ou de circulation. Nous devons d'ailleurs nous attacher à renforcer ce caractère temporaire de l'expatriation, en maintenant le contact avec nos expatriés et en encourageant le retour au pays par des programmes d'accueil et de réinsertion. L'expatriation n'en sera que plus positive pour tous !

Sur quelles bases démographiques et territoriales la représentation à l'AFE est-elle établie ?

Chaque conseiller est l'élu d'une circonscription électorale. L'unité de base est la circonscription consulaire, mais le plus souvent elle en regroupe plusieurs. Depuis 2004, il existe 52 circonscriptions électorales qui peuvent coïncider avec un État, une partie d'État, ou même regrouper plusieurs pays. Ainsi, le Canada et l'Allemagne sont divisés en deux circonscriptions. L'Afrique du Sud, avec 6 500 inscrits, forme une seule circonscription avec un élu, alors que le reste de l'Afrique australe, avec 4 400 inscrits, regroupe 12 pays et élit 2 délégués. En accord avec la jurisprudence du Conseil constitutionnel, la délimitation de ces circonscriptions se fait en effet sur une base essentiellement démographique, en fonction de l'importance de la présence française dans la région, mais sans respecter une stricte proportionnalité. La zone Europe, qui regroupe 52 % des Français établis hors de France, est par exemple largement sous-représentée, avec seulement 34,5 % des élus. Par contre, l'Afrique, qui n'a que 15 % des immatriculés, a gardé 47 sièges, soit 31,5 % des élus.

Cette organisation n'est pas figée. En 2004, par exemple, pour tenir compte du fort accroissement du nombre de Français résidant en Grande-Bretagne et en Irlande, la circonscription du Royaume-Uni et de République d'Irlande (cinq conseillers élus) a été scindée en deux. Les Français installés au Royaume-Uni ont désormais six représentants et ceux d'Irlande un.

Le nombre de conseillers par circonscription est fixé par la loi. Les circonscriptions sont réparties en deux zones géographiques qui votent alternativement tous les trois ans : la série A (79 sièges) comprend les circonscriptions d'Amérique (32 conseillers) et d'Afrique (47 conseillers) ; la série B (76 sièges) regroupe celles d'Europe (52 conseillers), d'Asie-Océanie et du Levant (24 conseillers). Les prochaines élections auront lieu pour la série A en juin 2009 et pour la série B en juin 2012.

Comment les Français expatriés sont-ils informés des possibilités qu'ils ont d'être représentés ?

Sauf opposition de leur part, les expatriés inscrits au registre des Français établis hors de France figurent de plein droit sur les listes électorales consulaires. Les postes diplomatiques et consulaires sont tenus d'informer les Français inscrits dans leur ressort des noms de leurs représentants élus, en les faisant notamment figurer sur les sites officiels et par voie d'affichage dans les consulats. Ils doivent également les informer des dates de scrutin pour le renouvellement des conseillers de leur zone, par courrier postal ou électronique, affichage dans les locaux consulaires et annonces sur Internet. Le CSFE a obtenu, pour la première fois en 2000 qu'un spot d'information civique et d'incitation au vote soit diffusé sur TV5. Cette initiative a été reprise en 2003 et 2006 et nous espérons bien que le ministère des Affaires étrangères continuera à demander aux chaînes audiovisuelles extérieures, Radio France Internationale, TV5 Monde et France 24, de diffuser des spots d'information civique sur les dates des scrutins et les modalités de vote. Les grandes associations de Français expatriés, comme l'UFE ou l'ADFE – Français du Monde relaient auprès de leurs membres cette information. Les conseillers élus sont en général membres d'associations françaises représentées dans leur circonscription (Fédération des anciens combattants français résidant à l'étranger, Chambres de commerce et d'industrie, Fédération internationale des accueils français et francophones à l'étranger…).

Qui peut être candidat ?

Peut être candidat tout Français inscrit sur la liste électorale de la circonscription où il désire se présenter. Il doit jouir de ses droits civiques et politiques et être âgé de 18 ans accomplis. Certaines fonctions sont incompatibles avec le mandat de conseiller : les ambassadeurs, agents diplomatiques, fonctionnaires consulaires de carrière, chefs de mission militaire et de services civils placés auprès des ambassadeurs et des consuls ainsi que leurs adjoints directs, officiers généraux ou officiers supérieurs ne peuvent se présenter dans la circonscription électorale où ils exercent leurs activités. Ces personnes ne sont pas pour autant privées de leur droit de vote.

Le candidat (ou la liste de candidats) est libre de se présenter sous une étiquette politique ou non. Il peut se réclamer du soutien d'un groupe constitué de l'AFE, d'un parti politique français ou d'une association représentative des Français de l'étranger

L'élection des représentants des Français de l'étranger s'est généralement située dans un contexte plus associatif que politique, les candidatures étant en principe suscitées en leur sein par les associations, groupements ou organisations rassemblant des Français établis hors de France.

Cependant, conséquence logique de l'instauration de l'élection au suffrage universel des membres de l'AFE, une certaine politisation des candidats s'est peu à peu installée.

L'orientation politique des candidats et des associations s'est encore accentuée lors des élections du 18 juin 2006 pour le renouvellement des conseillers de la zone Europe et d'Asie-Levant-Océanie. Cinq listes, à Abou Dhabi, Bruxelles, Milan, Tel-Aviv et Pékin, se sont alors réclamées non du soutien d'une association ou d'un groupe mais seulement du soutien à Nicolas Sarkozy, alors président de l'UMP. Cette politisation, avec en corollaire un relatif durcissement ici ou là des campagnes électorales, a parfaitement réussi aux cinq têtes de liste, leur permettant d'être élues au détriment de candidats sortants et/ou officiellement soutenus par l'UFE et même pour certains par l'UMP !

Vous parlez de campagne électorale. Les candidats peuvent-ils vraiment mener campagne publiquement ?

La règle a longtemps été celle d'une interdiction totale de campagne électorale à l'étranger. Professions de foi et bulletins de vote sont acheminés aux électeurs par les consulats. Affichages, distributions de tracts et réunions publiques sont interdits, les envois sous pli fermé étant seuls tolérés.

On assiste cependant aujourd'hui à un assouplissement. C'est le cas bien sûr sur le territoire de l'Union européenne[2], où ont été instaurés par le traité d'Union européenne dit « de Maastricht » des droits politiques afférents aux Européens résidant dans un autre État membre, et où la liberté d'expression est prévue par la Convention européenne des droits de l'homme de 1950. La jurisprudence de la Cour européenne des droits de l'homme a établi à plusieurs reprises que cette liberté implique celle des débats électoraux, supposant un échange et une confrontation des idées.

Sont donc autorisés en Europe affichage, réunions, usage des moyens de communication, cette liberté devant cependant respecter la législation du pays hôte. Les candidats et listes de candidats peuvent également créer des sites Internet à condition de ne pas afficher de messages publicitaires et de ne plus diffuser de message électoral à partir de la veille du scrutin à minuit.

L'envoi des documents par courrier électronique sera effectif pour le renouvellement de 2009.

Mais la prudence reste de mise partout puisque le droit international ne saurait tolérer d'atteinte à l'ordre public et qu'il faut respecter la législation du pays hôte.

---

2. L'article 5 de la loi n° 82-471 du 7 juin 1982 dans sa rédaction résultant de la loi 2005-822 du 20 juillet 2005 autorise désormais la propagande électorale dans les États membres des Communautés et de l'Union européennes et les États parties à la Convention européenne de sauvegarde des droits de l'homme et des libertés fondamentales du 4 novembre 1950.

Il n'est guère envisageable de mener une campagne électorale dans les médias des pays d'accueil.

Pour améliorer ses chances de succès, il est donc préférable de bénéficier d'une notoriété déjà acquise par un travail de terrain régulier et soutenu.

Comment s'organisent ces élections ?

• *Les candidatures.* La date limite de dépôt des candidatures est fixée au soixantième jour précédant le scrutin à 18 heures (heure locale) à partir de la publication de l'arrêté convoquant les électeurs. Le lieu de dépôt est l'ambassade, le poste consulaire chef-lieu de la circonscription électorale ou une ambassade ou un poste consulaire de cette circonscription. Pour les candidatures individuelles, le dépôt peut se faire à la Direction des Français de l'étranger du ministère des Affaires étrangères à Paris.

Les déclarations de candidature doivent être enregistrées par l'ambassadeur ou le chef de poste. L'enregistrement est refusé en cas d'inobservation des dispositions relatives aux conditions d'éligibilité. Un recours est possible devant le tribunal administratif de Paris.

Dans les circonscriptions à scrutin majoritaire élisant un seul conseiller (par exemple les Pays-Bas ou Monaco) les candidatures sont obligatoirement individuelles ; dans celles élisant deux conseillers (Djibouti ou Lomé) elles peuvent également se faire par liste. Chaque candidat dispose dans les deux cas d'un suppléant.

Dans les circonscriptions à scrutin proportionnel élisant trois conseillers et plus, les candidatures sont présentées sur une liste où le nombre de noms ne peut être inférieur au nombre de sièges à pourvoir augmenté de deux, ni supérieur au triple du nombre de sièges à pourvoir. Ainsi, pour la circonscription de Tananarive, qui élit quatre conseillers, les listes doivent comporter au minimum 6 noms et au maximum 12.

• *Professions de foi.* Chaque candidat ou liste de candidats a droit à la diffusion, par l'administration, d'une profession de foi qu'il doit préparer et faire imprimer. Il doit également faire imprimer les bulletins de vote, selon certaines caractéristiques prédéterminées (format, couleur, emblèmes autorisés…). Les candidats ayant obtenu au moins 5 % des suffrages exprimés sont remboursés du coût du papier et des frais d'impression.

• *Listes électorales.* Les candidats peuvent avoir communication et copie des listes électorales de la circonscription, dès le dépôt de déclaration de leur candidature, contre règlement des frais de reproduction sur support papier ou informatique.

• *Bureaux de vote.* Ils sont organisés sur le modèle des bureaux en France : assesseurs, scrutateurs et délégués des candidats. L'ambassadeur, ou le chef de poste, effectue le recensement général des votes, l'attribution des sièges et établit le procès verbal (à l'instar du maire).

• *Vote électronique.* Un bureau de vote spécifique, présidé par le secrétaire général de l'AFE, contrôle l'ensemble des opérations de vote par voie électronique et le dépouillement du scrutin. Il est assisté par un comité technique dont les membres sont nommés par arrêté du ministre des Affaires étrangères. Les associations représentatives des Français établis hors de France présentant des candidats ou listes dans au moins trois circonscriptions peuvent désigner un délégué habilité à contrôler l'ensemble des opérations du vote électronique et à faire mentionner au procès-verbal toute observation. Le vote électronique, introduit grâce à une proposition de loi du sénateur Robert del Picchia, a été utilisé en 2003 lors du renouvellement de la série A aux États-Unis. Il a été généralisé à toutes les circonscriptions renouvelables de la série B le 18 juin 2006.

À l'exception de ceux résidant dans les pays où la transmission de flux informatiques chiffrés est impossible ou interdite, tous les électeurs ont pu opter pour le vote électronique, en le demandant au plus tard six semaines avant la date du scrutin. La transmission du vote et l'émargement par l'électeur donnaient lieu à l'envoi d'un récépissé daté confirmant le bon déroulement de l'opération.

• *Vote par correspondance.* Peuvent choisir la voie postale les électeurs l'ayant demandé avant le dernier jour ouvrable de l'année précédente (ils reçoivent alors le matériel de vote par courrier) et ceux que des circonstances imprévues empêchent d'être présents le jour du scrutin (ils peuvent alors retirer à l'ambassade ou au poste consulaire organisant le vote le matériel électoral jusqu'au deuxième jour précédant le scrutin).

Dans certains pays (en 2006 la Serbie, le Monténégro et Taïwan), seul le vote par correspondance est utilisé.

Et quel est le mode de scrutin utilisé ?

Le mode de scrutin des conseillers à l'AFE a été modifié à deux reprises depuis 1982. Désormais, l'élection a lieu à la représentation proportionnelle suivant la règle de la plus forte moyenne, sans panachage ni vote préférentiel, dans les circonscriptions qui élisent au moins trois conseillers ; dans les autres circonscriptions, (19 au total) c'est le scrutin majoritaire à un tour qui s'applique.

Il n'existe pas de code électoral pour les élections de Français de l'étranger ?

Non, hélas. Une codification des dispositions législatives et réglementaires éparses et une réponse à des interrogations réelles, notamment en matière de vote électronique, de propagande électorale, d'utilisation de la couleur ou d'un grammage particulier du papier par exemple, de contrôle du processus, de règles de financement, à l'instar de celles en vigueur sur le territoire des consulats faciliteraient pourtant la tâche des candidats et des consulats et éviteraient des recours. J'avais d'ailleurs demandé une telle codification dans une question écrite au Sénat à la suite des élections du 18 juin 2006. La Commission des lois et règlements et la Commission temporaire de la participation électorale des Français établis hors de France, créée en septembre 2006, devraient faire des propositions novatrices en ce domaine.

À quel type de recours êtes-vous donc confrontés ?

Le contentieux des élections relève du Conseil d'État, qui n'a prononcé qu'un nombre réduit d'annulations.

Les élections annulées ont concerné principalement les circonscriptions de Kinshasa en 1985, Pondichéry en 1985 et 1988, La Haye en 1991, Brazzaville en 1997, Berne en 2000, New Delhi et Berlin en 2007. Les motifs invoqués étaient relatifs à la propagande électorale, au vote par correspondance, à la non-ouverture de bureaux de vote le jour du scrutin ou à l'irrégularité de candidatures sur les listes. Certaines annulations sont motivées par des manquements du ministère des Affaires étrangères dans le déroulement des opérations. Ainsi en juin 2006, sur les cinq recours déposés, deux annulations ont été prononcées dans les circonscriptions de New Delhi et de Berlin, s'appuyant l'une sur une information erronée diffusée aux électeurs par un agent consulaire quant aux modalités du vote au scrutin majoritaire, l'autre par le refus de diffuser la profession de foi d'un candidat, que le ministère des Affaires étrangères avait jugé inappropriée. D'une manière générale, il ne suffit pas qu'une disposition législative ou réglementaire ait été enfreinte pour entraîner l'annulation. Le Conseil d'État n'annule généralement l'élection que lorsque l'écart des voix entre les listes ou candidats est très faible. Mais il prononce l'annulation, quel que soit l'écart des voix obtenues par les listes ou candidats, quand il estime que la violation constatée a porté une grave atteinte à la sincérité du scrutin, comme cela a été le cas à Berlin et New Delhi.

La récente politisation des élections ajoutée à ce flou n'est-elle pas une explication du très faible taux de participation électorale ?

Certes le taux de participation ne cesse de baisser. De près de 30 % en 1994, il est passé à moins de 15 % en 2006. Une participation aussi faible, malgré les efforts de simplification du vote et un meilleur recensement des électeurs potentiels, est une atteinte à notre légitimité et à notre crédibilité. Que cette tendance à l'abstention soit un phénomène communément observé dans la plupart des pays industrialisés ne saurait nous satisfaire.

Nous avons cependant quelques circonstances atténuantes : la loi du 7 juin 1982, en instaurant le suffrage universel direct pour l'élection des représentants des Français établis hors de France, n'a cependant pas donné la possibilité de faire campagne, puisque son article 4 interdisait toute propagande électorale à l'étranger. Divers dysfonctionnements administratifs et techniques expliquent également ces chiffres. La fusion des listes électorales (élections nationales et AFE) en une seule a entraîné de nombreuses erreurs et radiations intempestives, la nouvelle liste restant peu fiable, si l'on en juge par les dizaines de milliers de retours d'enveloppes électorales dans les consulats.

Beaucoup de nos compatriotes changent souvent d'adresse, sans toujours en informer le consulat ; ils restent inscrits sur les listes mais grossissent les rangs des « abstentionnistes ». De plus, des difficultés techniques et la complexité du vote électronique ont découragé beaucoup d'électeurs. Sur les 28 000 personnes inscrites pour cette procédure, seules 10 119 ont pu en définitive exprimer leur choix par ce biais.

La mobilité croissante de nos ressortissants, avec des séjours souvent inférieurs à trois ans dans un même pays, fait aussi que beaucoup, inscrits ou non sur les listes consulaires, ignorent l'existence même de l'AFE. Dans un tel contexte, l'automaticité du droit de vote à l'AFE par l'inscription sur le registre mondial est, paradoxalement, un handicap car elle ne permet pas d'interrogation ou de prise de conscience sur l'existence même de ce droit.

Enfin, il est évident que la multiplication des candidatures au sein d'un même mouvement ou d'une même association tend à décourager l'électeur, qui ne perçoit pas toujours les différences d'idées ou de programmes entre les unes et les autres !

Pourquoi l'AFE est-elle si mal connue des Français de l'étranger ?

La méconnaissance de l'AFE par les Français de l'étranger est liée à un certain nombre de difficultés qui, souvent, se cumulent.

Tout d'abord, il est très difficile d'y intéresser les médias. Parce qu'aux confins de plusieurs grands domaines – international, société, politique –, l'AFE n'intéresse que peu les responsables de ces rubriques.

D'autant qu'une certaine unanimité règne au sein de l'Assemblée dès qu'il s'agit des intérêts supérieurs de notre pays et de son rayonnement à l'étranger, et qu'en France on préfère parler d'affrontement plutôt que de consensus. Ainsi, les journaux refusent souvent d'annoncer les élections ou d'en publier les résultats, « faute de place », nous disent-ils. Même lorsqu'une actualité brûlante pousse les journalistes à s'aventurer hors de leurs frontières pour interviewer l'un de nos élus, ils ne le présentent généralement pas sous son titre de conseiller à l'AFE mais plutôt sous une autre casquette : président d'association, chef d'entreprise, enseignant… Les médias du pays d'accueil ne sont pas non plus très enclins à parler de l'institution ou de ses représentants, sauf à titre exceptionnel ou anecdotique.

Les consulats, eux, n'ont pas les moyens d'informer sur le travail de l'AFE et de ses membres. La seule information officielle se fait généralement par l'envoi sous pli des professions de foi des élus, une fois tous les… six ans !

Enfin, il y a l'étendue des circonscriptions et la modicité des moyens dont disposent les élus. Ils n'ont pas « pignon sur rue » ou accès à des journaux locaux, ont une obligation de discrétion vis-à-vis du pays d'accueil et, de surcroît, couvrent souvent un vaste territoire. Par exemple, les élus de la circonscription de New Delhi représentent leurs compatriotes résidant en Inde (sauf Pondichéry), en Iran, en Afghanistan, au Pakistan et au Bangladesh et les élus de la circonscription de Tokyo les Français résidant au Japon, en Chine et en Corée, soit deux circonscriptions dont au moins un pays compte plus d'un milliard d'habitants et qui couvrent des superficies de plus de 10 millions de kilomètres carrés. Quelle différence avec un mandat local ou même national en

France ! Un tel mandat demande un engagement personnel très fort, une disponibilité pas toujours compatible avec l'activité professionnelle et ne permet pas facilement de se faire connaître comme le peut l'élu d'un département ou d'une région en France.

Par ailleurs, malgré les prérogatives qui leur sont dévolues, les conseillers ne sont pas toujours associés aux contacts bilatéraux et aux visites de membres du gouvernement ou de délégations parlementaires. Leur avis n'est pas toujours sollicité ni, *a fortiori*, pris en compte. Tous ces facteurs qui altèrent la proximité peuvent heureusement être compensés par le travail au quotidien des conseillers et l'usage croissant d'Internet, qui permet de mieux informer et dialoguer.

Que faudrait-il faire, selon vous, pour assurer une meilleure participation ?

Du niveau de la participation au vote des Français de l'étranger dépend toute la crédibilité, voire la pérennisation du système de représentation des expatriés. Plus il y aura de votants, plus les responsables nationaux s'y intéresseront. Rappelons-nous que lors des élections italiennes d'avril 2006, c'est le vote des expatriés qui a fait basculer la majorité en faveur du parti de Romano Prodi !

Nous devons donc faciliter au maximum la participation aux scrutins, au niveau national d'abord en rétablissant le vote par correspondance postale pour les Français de l'étranger, à l'instar de ce que font la plupart des démocraties en Europe et dans le monde, ou en facilitant le vote électronique, qui doit être simplifié et fiabilisé.

En ce qui concerne le vote électronique, un groupe de travail élus/ministère des Affaires étrangères/ministère de l'Intérieur devrait rapidement établir un cahier des charges pour simplifier les procédures et renforcer la sécurité du vote. Un budget doit être dégagé à cet effet par le ministère des Affaires étrangères. Il nous faut également, je le disais précédemment, clarifier les règles de ces élections et les regrouper dans le code électoral.

Mais le handicap essentiel reste celui de l'absence de budget pour l'information électorale, ce qui est inadmissible dans une démocratie digne de ce nom. À titre d'exemple, les Italiens consacrent eux un très gros budget à cette information, avec notamment des annonces en une de tous les grands journaux des pays de résidence.

Le droit de vote est aussi un devoir, même lorsque l'on vit hors des frontières nationales. Un moyen de renforcer ce lien de citoyenneté avec la France serait peut-être de faire établir une « carte d'électeur français à l'étranger ».

Et pour accroître la notoriété de l'Assemblée ?

Nous ne pourrons accroître la notoriété de l'AFE sans, là encore, développer une politique de communication et d'information.

Quelques progrès ont déjà été faits. Nous avons obtenu en 2002 de participer aux points de presse du Quai d'Orsay et qu'une très large diffusion soit faite des communiqués après chaque réunion de l'Assemblée informant des sujets traités. Avant cette date, les élections au CSFE n'étaient même pas mentionnées aux points presse ! Nous figurons désormais sur tous les documents officiels du ministère (agendas, répertoires, sites Internet, etc.) La mise en place du site de l'assemblée (www.assemblee-afe.fr), accessible également via le site du ministère des Affaires étrangères, contribue de façon importante à cette connaissance du public. Le Sénat s'est aussi engagé dans cette voie en mettant en place en septembre 2004 un site au service des Français de l'étranger (www.expatries.senat.fr) qui fait l'objet de trente-trois mille pages consultées par mois et d'une vingtaine de milliers de visiteurs internautes. Il est à l'origine de l'organisation de la Journée des Français de l'étranger, un événement bisannuel relayé par les médias, dont la première édition a eu lieu le 4 mars 2006. Plus de 3 000 visiteurs sont venus à cette occasion à la rencontre des acteurs de la mobilité internationale et des représentants des Français à l'étranger. La deuxième édition s'est déroulée le 1er mars 2008, avec l'organisation de « Trophées de la présence française à l'étranger ». Trois cent cinquante Français établis hors de France étaient candidats. Le jury a notamment choisi de récompenser des entrepreneurs français en Afghanistan, au Maroc et aux Philippines, des enseignants-chercheurs en Sibérie et à Hong-Kong, et un responsable humanitaire au Bangladesh. De son côté, le ministère des Affaires étrangères va réaliser une nouvelle affiche présentant l'AFE ; elle sera placardée dans tous les consulats. Enfin, cet ouvrage retraçant la genèse et explicitant le rôle de l'Assemblée des Français de l'étranger ne pourra que contribuer, je l'espère, à mieux faire connaître cette institution particulière et si nécessaire à notre République. Mais il nous faudrait aller plus loin, par une politique systématique de relations presse. Cette responsabilité incombe aujourd'hui au collège des vice-présidents, qui n'en a pas forcément le temps ou l'inclination. Il serait essentiel que cet aspect soit renforcé au sein du Secrétariat général de l'AFE, avec l'aide de la direction de la communication du Quai d'Orsay.

En 2006, 25 femmes et 51 hommes ont été élus. L'Assemblée issue de ces élections reste donc très majoritairement masculine avec 102 hommes et 51 femmes. Qu'est-il prévu pour assurer la parité lors des prochaines élections ?

Je vous ferai tout d'abord observer qu'alors même que les règles de la parité ne sont pas encore entrées en vigueur pour l'AFE, le taux de femmes élues (36 %) y est bien plus élevé qu'à l'Assemblée nationale (18,5 %) ou au Sénat (16,2 %). Ces deux assemblées parlementaires sont pourtant soumises à la loi sur la parité !

La loi du 31 janvier 2007 tendant à promouvoir l'égal accès des femmes et des hommes aux mandats électoraux et fonctions électives rend désormais obligatoire la parité pour les élections à l'AFE et s'appliquera à partir du renouvellement de 2009. Il est stipulé que dans les circonscriptions à scrutin majoritaire « *le candidat et son remplaçant sont de sexe différent* » et que dans les circonscriptions à scrutin proportionnel de liste, « *sur chacune des listes, l'écart entre le nombre de candidats de chaque sexe ne peut être supérieur à un* ». La Commission des lois et règlements, qui ne s'était pas prononcée sur cette disposition introduite par amendement des sénateurs représentant les Français établis hors de France, s'est félicitée à une forte majorité de la formule retenue.

En ce qui concerne l'élection des sénateurs représentant les Français établis hors de France, c'est une stricte alternance homme/femme qui est la norme.

Quel est le rôle d'un conseiller dans « sa » circonscription ?

Le conseiller exerce d'abord son mandat dans sa circonscription. Sa vocation première est de représenter et d'informer ses électeurs. Son rôle est comparable à celui du conseiller cantonal ou du conseiller régional, mais il joue parfois aussi un rôle d'assistante sociale ou d'écrivain public… Il est un médiateur entre les administrés et les autorités diplomatiques et consulaires ou l'administration centrale. Par courrier, par voie électronique ou à l'occasion de ses permanences, il informe ses compatriotes de toutes les mesures dont ils peuvent bénéficier, les conseille sur les démarches à entreprendre pour régler une situation personnelle. Il est en contact permanent avec les autorités françaises accréditées dans son pays de résidence, qui, elles, représentent l'État. Il ne dépend pas de l'administration, même s'il entretient en général d'excellentes relations avec elle. Il a toute sa place au sein des commissions, comités et organismes divers qui assistent les chefs de postes consulaires, qu'ils relèvent de la tradition caritative ou doivent leur existence à un texte réglementaire. Il est ainsi membre de droit, avec voix délibérative, des comités consulaires compétents en matière de protection et d'action sociales, d'emploi, de sécurité et d'octroi de bourses scolaires attribuées aux enfants français inscrits dans nos établissements à l'étranger. Il donne par exemple son avis sur l'attribution des allocations temporaires de solidarité, le montant des subventions aux associations de bienfaisance et aux associations développant le programme « français langue maternelle » (Flam). Il est également membre de droit avec voix consultative des conseils d'établissement des écoles et lycées du réseau et est invité aux comités de gestion.

En matière de fiscalité, il est informé de l'ouverture des négociations, de la signature et de l'entrée en vigueur des conventions visant à éviter la double imposition conclues avec les États de sa circonscription.

Il participe aux assemblées générales des principales associations, et à toute autre réunion organisée par les chefs de postes diplomatiques et consulaires, qui le consultent en principe sur toute question générale intéressant les ressortissants français de sa circonscription. Il propose une liste nominative de membres des commissions administratives locales chargées de la tenue des listes électorales consulaires. En cas d'empêchement, il peut se faire représenter pour être tenu informé, mais ce représentant ne peut avoir de délégation de pouvoir.

Ce travail de terrain est essentiel pour faire remonter les questions récurrentes au niveau de l'Assemblée et des ministères. Il participe aux deux assemblées plénières de l'année, qui se tiennent en principe dans des locaux du ministère des Affaires étrangères à Paris, au travail des commissions et bien sûr à celui du bureau s'il est en membre.

Quelle est la durée d'un mandat ? Est-il rétribué ?

Les conseillers sont élus pour six ans, mais l'Assemblée est renouvelée par moitié tous les trois ans.

Alors que les conseillers avaient toujours exercé leur mandat de manière entièrement bénévole, avec un simple défraiement des frais de déplacement pour les réunions à Paris, la loi de Finances 2006 a mis fin à cette aberration pour une démocratie en instaurant une indemnité mensuelle fixe (1 000 euros en 2007) destinée à couvrir les frais d'exercice de leur mission dans leur circonscription, souvent immense, je le rappelle. Elle s'ajoute à une indemnité semestrielle forfaitaire établie en fonction des attributions (membre, rapporteur, président de commission) nécessitant des déplacements à Paris. Leur versement à taux plein est subordonné à la présence aux réunions auxquelles est convoqué le conseiller. Les conseillers bénéficient en outre d'une assurance couvrant les risques encourus dans l'exercice de leur mandat à l'occasion de leurs déplacements à

Paris pour les réunions de l'Assemblée. L'ensemble de ces indemnités ne couvre que très partiellement les nombreux frais occasionnés par les multiples activités inhérentes à leur mandat.

Enfin, lors des renouvellements à l'AFE, les frais d'impression des documents officiels sont remboursés sur une base forfaitaire fixée par l'administration en fonction des situations locales et du nombre d'électeurs.

Comment l'Assemblée organise-t-elle son travail ?

L'Assemblée se réunit en session plénière deux fois par an, en mars et en septembre. Lors de la première séance suivant le renouvellement de l'Assemblée, les conseillers élisent trois vice-présidents par scrutin de liste pour une durée de trois ans (cinq noms par liste). Ceux-ci vont, à tour de rôle, exercer chacun pour un an la présidence effective. Puis les conseillers élisent au sein de leurs commissions respectives un bureau composé d'un président, de deux vice-présidents, d'un secrétaire et d'un rapporteur. Ces responsables des cinq commissions de l'AFE constituent pour la durée du mandat un bureau, auquel s'ajoutent les trois vice-présidents de l'AFE et les présidents de groupe.

Les groupes, constitués sur la base d'au moins 18 membres, se forment en principe en fonction d'affinités politiques. Il y a actuellement deux groupes constitués : l'Union des Français de l'étranger (UFE, 117 membres, proche de l'UMP) et l'Association démocratique des Français de l'étranger-Français du monde (ADFE-FdM, 56 membres, proche du PS). Certains conseillers choisissent de ne figurer sur la liste d'aucun groupe (actuellement 8 membres).

C'est aussi lors de cette première session que les membres se répartissent dans les commissions sur la base du volontariat et en tenant compte dans la mesure du possible de la représentation proportionnelle des groupes. Chaque conseiller est obligatoirement membre d'une commission permanente et d'une seule, mais il peut également appartenir à une commission temporaire.

Les délibérations de l'Assemblée sont adoptées à la majorité.

En dehors des questions statutaires prévues par le règlement, qui fixe l'ordre du jour d'une assemblée plénière ?

Convocation et ordre du jour sont adressés par le secrétaire général de l'AFE au moins un mois à l'avance. Ils sont en principe accompagnés des documents nécessaires au travail préparatoire de chacun, notamment ceux exprimant la position des services de l'État sur tel ou tel point dont l'assemblée aura à délibérer. L'ordre du jour est établi sur la base des demandes d'avis adressées par le ministre des Affaires étrangères ou par le secrétaire général du gouvernement et des questions dont l'AFE a décidé de se saisir, avec les auditions indispensables à leur étude. Chaque président de commission envoie de son côté aux membres les documents afférents à sa propre commission : rapports antérieurs, textes à amender, projets de résolutions, de recommandations ou de vœux…

La durée d'une session est-elle suffisante pour faire avancer les dossiers dont elle se saisit ?

Les sessions de l'Assemblée, qui se déroulent sur six jours du lundi au samedi midi, nécessitent une organisation rigoureuse d'un travail souvent très dense. Les commissions sont réunies du lundi après-midi au mercredi soir pour l'élaboration des rapports après une série d'auditions d'experts et des débats. Suivent les séances plénières, où sont examinés et adoptés les rapports des commissions, auditionnées les personnalités telles que ministres ou directeurs d'administrations et débattues les autres questions à l'ordre du jour. Le temps de parole des intervenants est réglementé, notamment lors de la séance d'ouverture de la session plénière de septembre, avec la présentation du rapport annuel de l'AFE par le directeur des Français à l'étranger et l'intervention du ministre des Affaires étrangères.

La complexité des questions liées à la mobilité internationale a entraîné la création de nouvelles commissions temporaires élaborant des rapports circonstanciés et la multiplication des groupes de travail *ad hoc*. Il a donc fallu trouver le moyen de poursuivre les travaux dans l'intervalle des sessions, ce qui est facilité par l'espace collaboratif et les forums ouverts sur l'Extranet de l'Assemblée, qui permettent aux commissionnaires de poursuivre leur réflexion. L'AFE expérimente ainsi le télétravail, particulièrement adapté à une instance dont les membres, séparés par plusieurs milliers de kilomètres, ne peuvent en principe se réunir plus de deux fois par an.

Quel est le rôle du bureau et des vice-présidents ?

Les trois vice-présidents forment un collège qui exerce par délégation du président, et dans les limites de celle-ci, les attributions du président. Ils dirigent, avec l'assistance du secrétaire général, les travaux de l'Assemblée, assurent la publicité de ses travaux et la continuité des contacts avec les pouvoirs publics. Le bureau, élu pour trois ans, assure la continuité des travaux de l'AFE entre les sessions et se réunit au minimum quatre fois par an, habituellement en février, mai, septembre et décembre. Si nécessaire, d'autres réunions peuvent être convoquées. Le bureau donne ainsi les avis demandés par le ministre, soumet au gouvernement les questions dont l'examen ne peut attendre la session suivante, propose au président un ordre du jour de la session à venir. Il procède aux désignations et propositions de nominations urgentes. Il est également amené à approuver la composition des commissions administratives chargées de la bonne tenue des listes électorales consulaires.

Comment les commissions sont-elles constituées ? Quel est leur rôle ?

L'Assemblée comprend cinq commissions permanentes : Affaires culturelles et enseignement, Affaires sociales, Finances et affaires économiques, Lois et règlements et Union européenne. Toutes comptent 39 membres, sauf la commission de l'Union européenne qui en a 27. Elles élisent en leur sein : un président, deux vice-présidents, un secrétaire et un rapporteur. Ceux-ci sont membres du bureau de l'Assemblée. Il faut aussi mentionner la Commission temporaire des anciens combattants (32 membres), créée en 1991, et qui poursuit sa mission de défense des intérêts des anciens combattants résidant à l'étranger. Elle s'est par exemple beaucoup mobilisée pour la décristallisation des retraites des anciens combattants des ex-colonies. D'autres commissions temporaires peuvent être créées pour l'étude de problèmes spécifiques, comme cela a été fait pour la sécurité ou la participation électorale.

Les commissions examinent les projets de loi que le gouvernement leur soumet pour avis. Elles peuvent également élaborer des propositions de texte de projets de loi à l'attention du gouvernement ou des propositions de loi à celle du Parlement. Elles sont libres d'étayer leur travail par l'audition de personnalités qualifiées et de spécialistes divers ou par des visites d'institutions ou de services en France ou en Europe. Elles préparent des rapports, des « recommandations », des « résolutions » et des « vœux » qui, une fois adoptés par l'Assemblée, seront transmis à leurs destinataires (ministre de tutelle, parlementaires, commissions gouvernementales, comités nationaux de réflexion sur telle ou telle question de société dans lesquels il convient de faire valoir l'existence et les intérêts des Français de l'étranger…).

• Plus précisément, *la Commission des lois et règlements* donne son avis sur les projets de loi, décrets, arrêtés et circulaires concernant les Français de l'étranger, élabore des propositions de modifications législatives et réglementaires ainsi que de son règlement intérieur, examine les questions de nationalité, d'état civil et d'élections. Elle a, par exemple, proposé la fusion des listes électorales, examiné les conséquences des nouvelles procédures de divorce pour les couples expatriés et les nouvelles règles encadrant les mariages binationaux célébrés à l'étranger ou encore la réforme de l'adoption internationale.

• *La Commission des finances et des affaires économiques* propose le budget de l'AFE, examine les chapitres concernant les Français de l'étranger dans les projets de loi établissant le budget des Affaires étrangères et étudie les textes de projets ou de propositions de loi d'économie, de finances et de fiscalité (elle est notamment informée des projets de conventions bilatérales visant à empêcher la double imposition). Elle a par exemple entrepris une étude de faisabilité pour la création d'une base de données référençant les PME-PMI et entreprises individuelles de droit local dirigées par des Français ainsi que les conditions susceptibles d'améliorer l'implantation des entreprises françaises à l'étranger.

• *La Commission des affaires sociales* suit principalement les projets et propositions de loi concernant la sécurité sociale et l'aide sociale. Elle suit également le fonctionnement de la Commission permanente pour la protection sociale des Français de l'étranger et de la Caisse des Français de l'étranger, que préside le sénateur Cantegrit. Elle étudie la mobilité internationale des Français ainsi que les questions d'emploi et de formation. Elle a par exemple tiré les conséquences des réformes de l'assurance maladie et des retraites pour nos compatriotes de l'étranger et proposé la mise en œuvre de conventions de tiers payant avec des établissements hospitaliers étrangers. Elle a dressé un comparatif des droits de nos compatriotes handicapés en France et à l'étranger et présenté une résolution pour atteindre l'égalité de traitement.

• *La Commission des affaires culturelles et de l'enseignement* est compétente pour tout ce qui concerne l'enseignement, la culture et l'information, notamment audiovisuelle. Elle suit ainsi attentivement l'organisation de l'enseignement français à l'étranger, l'activité de l'Agence pour l'enseignement français à l'étranger (AEFE), de la Commission nationale des bourses, l'action audiovisuelle extérieure, avec en particulier le regroupement de TV5, RFI et France 24, et l'image de la France dans le monde. Elle a œuvré par exemple pour faciliter l'accès à l'université française et aux grandes écoles des étudiants français et étrangers scolarisés dans le réseau de nos lycées à l'étranger et au financement du programme « Français langue maternelle » destiné à maintenir la langue maternelle des enfants scolarisés dans une autre langue. Elle suit attentivement la mise en place de la gratuité de l'enseignement français dans les lycées, décidée par le président de la République, de même que les spécificités des écoles réunies au sein de l'Association nationale des écoles françaises à l'étranger (ANEFE), fondée par l'ancien sénateur Jacques Habert et présidée par le sénateur André Ferrand.

• *La Commission de l'Union européenne* est chargée d'examiner les directives et les règlements européens dans leurs conséquences pour les Français expatriés. Elle veut être un outil de veille et dans ce but a décidé de se rapprocher de la délégation à l'Union européenne du Sénat et de la délégation à l'Union européenne du Conseil économique et social. Elle a récemment traité des questions de mobilité des patients dans l'espace européen et de la simplification des procédures administratives. Elle a examiné le projet de création d'un fonds de soutien aux expatriés européens victimes de catastrophes naturelles ou de crises politiques et s'est employée à organiser une réunion de responsables de conseils d'expatriés européens dans le cadre de la présidence française du 2e semestre 2008.

• La création de *commissions temporaires* peut être décidée lors d'une réunion plénière de l'AFE pour prolonger un travail déjà engagé. Par exemple, en septembre 2000 avait été créée une commission temporaire de la réforme du CSFE, qui a donné lieu aux modifications intervenues depuis 2004 par consensus des groupes de l'Assemblée. Une commission temporaire de la formation professionnelle des Français établis hors de France a travaillé en particulier sur la reconnaissance des acquis professionnels à l'étranger, la réinsertion en France et la mise en place de formations adaptées localement et dans le cadre de l'Association nationale pour la formation professionnelle des adultes (AFPA). En septembre 2006, l'Assemblée a obtenu la création de deux nouvelles commissions temporaires. L'une, chargée de la sécurité des Français à l'étranger, doit élaborer des propositions adaptées au contexte d'insécurité grandissante dans le monde ; l'autre, chargée de la participation électorale des Français établis hors de France, doit faire des propositions pour faciliter le vote aux scrutins nationaux et à l'élection des conseillers de l'AFE.

Des groupes thématiques complètent ce dispositif. Ils travaillent en liaison avec les commissions concernées par le sujet traité. Il s'agit de permettre une approche transversale d'une problématique afin d'enrichir la réflexion et les propositions. Ont déjà existé un groupe « nouvelles technologies », un groupe « assurance des Français spoliés » et un groupe « communication ». Au sein de la Commission temporaire de la participation électorale s'est formé un « comité réduit » qui a analysé les causes du faible nombre d'électeurs ayant utilisé le vote par Internet en 2006 ; une série de mesures est proposée pour en simplifier les procédures et rendre ce mode de votation plus attractif.

Qui assure le fonctionnement courant de l'AFE et de ses commissions ?

L'AFE s'appuie sur son secrétariat général, où travaillent quatre fonctionnaires appartenant à la Direction des Français à l'étranger. Ils assurent en permanence la communication de l'Assemblée avec ses membres et, vers l'extérieur, avec les administrations et ses divers autres interlocuteurs. Le secrétariat général gère le budget destiné à couvrir les dépenses administratives, les frais de fonctionnement et les indemnités des conseillers. Chaque année, lors de la réunion de bureau de décembre, le secrétaire général rend compte de l'utilisation des crédits et présente le projet de budget pour l'année à venir.

Le secrétariat général assiste les différentes formations de l'Assemblée dans leur fonctionnement : envoi des convocations, ordres du jour et documents officiels, organisation des votes, enregistrement des procurations… Il établit aussi les comptes rendus *in extenso* des débats des assemblées plénières et des réunions de bureau, qui sont mis en ligne.

Le secrétaire général est nommé par arrêté du ministre des Affaires étrangères après information du collège des vice-présidents, sous l'autorité duquel il se trouve placé par délégation du ministre. Il est assisté d'un secrétaire général adjoint, nommé dans les mêmes conditions.

Le budget de l'AFE – 2,5 millions d'euros en 2006 et plus de 3,3 millions d'euros en 2007 – est intégré au budget du ministère des Affaires étrangères. N'y a-t-il pas là un moyen de limiter l'expression de l'Assemblée dans l'hypothèse où sa majorité aurait une conception des intérêts des Français hors de France différente de celle exprimée par le ministre ou son administration ?

Bien entendu. Le fait de pouvoir voter contre un budget pour exprimer son désaccord envers une politique est une prérogative essentielle de l'exercice d'un mandat électif et il est extrêmement frustrant que l'AFE ne puisse le faire. Rappelons cependant que le droit d'amender le budget de l'État est déjà très limité au Parlement du fait de l'article 40 de la Constitution qui interdit de créer de nouvelles dépenses non compensées par des recettes. L'AFE est informée des propositions de crédits devant figurer dans la loi de finances de l'année ; elle peut formuler un avis sur ces propositions mais le ministre peut parfaitement n'en tenir aucun compte. S'agissant d'intérêts divergents entre l'AFE et le ministère des Affaires étrangères, ce cas de figure pourrait bien sûr se présenter en cas d'opposition entre majorité gouvernementale et majorité de l'Assemblée. Il est cependant important de noter que, quelle que soit la couleur politique du gouvernement, un certain consensus existe au sein de l'AFE tant sur les choix de politique étrangère (à quelques nuances près) que sur les crédits inscrits au budget. Le budget du ministère est quasiment toujours jugé largement insuffisant (il représente à peine plus de 1 % du budget de l'État et ses moyens de fonctionnement et d'investissement en termes réels ont baissé de 21 % entre 2000 et 2008) face aux ambitions qu'ont les Français de l'étranger pour le maintien du rang et de l'influence de la France dans le monde. Il y a aussi consensus pour déplorer fermetures de consulats et suppressions de postes, ou tout ce qui peut obérer l'image de la France à l'étranger. Les élus de l'AFE, de gauche ou de droite, ont une conscience très forte de l'importance pour la France de son développement à l'international. Sans doute est-ce aussi pour cela que la plupart des vœux votés à l'AFE sont votés à l'unanimité ou à la quasi-unanimité.

Outre le Sénat, où s'exerce à l'échelon national la fonction de représentation des Français de l'étranger ?

L'AFE désigne ou élit des représentants qui siégeront dans différentes institutions ou organismes publics concernés par la mobilité internationale. Deux représentants au Conseil économique et social sont nommés pour trois ans par le Premier ministre sur proposition du ministre des Affaires étrangères, qui a auparavant recueilli l'avis de l'AFE. Les candidats sont proposés par les groupes, par consensus ou après un vote. L'AFE a émis le souhait d'avoir quatre représentants au CES afin de pouvoir former un groupe exclusivement dédié aux Français de l'étranger. Les deux conseillers économiques et sociaux représentant les Français de l'étranger font partie aujourd'hui d'un groupe hétéroclite "Français établis hors de France, de l'épargne et du logement". Passer à quatre membres augmenterait l'efficacité du groupe et permettrait d'avoir une vraie politique d'influence au CES en faveur des expatriés et du rayonnement dans le monde. Une proposition de loi organique en ce sens a été déposée le 22 janvier 2004 par neuf sénateurs représentant les Français établis hors de France, mais aucune suite ne lui a été encore donnée. L'AFE a adopté un vœu dans ce sens en septembre 2007. Alors qu'il est question de revaloriser le rôle du Conseil économique et social, une telle proposition apparaît aussi opportune que légitime.

L'AFE désigne également trois administrateurs de la Caisse des Français de l'étranger et quinze administrateurs représentant les assurés au sein de cet organisme, présidé depuis sa création en 1984 par le sénateur Jean-Pierre Cantegrit ; un représentant au conseil d'administration de l'Agence pour l'enseignement français à l'étranger ; deux représentants avec voix délibérative à la Commission nationale des bourses ; deux à la commission permanente pour l'emploi et la formation professionnelle ; un au Conseil national d'aide juridique ; un au Conseil départemental de l'accès aux droits de Paris ; trois au Conseil pour la protection sociale des Français de l'étranger. Enfin, les trois vice-présidents de l'Assemblée sont membres de droit de l'Association nationale des écoles françaises à l'étranger (ANEFE).

Vous avez évoqué la création en 2006 de deux commissions temporaires, une destinée à améliorer la participation des Français établis hors de France aux différents scrutins nationaux, l'autre consacrée au renforcement de la sécurité des personnes. Pouvez-vous résumer les étapes du travail d'une commission ? Que vont devenir les recommandations ?

Prenons l'exemple de la commission temporaire de la sécurité. Cette commission a été créée en septembre 2006, pour tirer les leçons de la crise ivoirienne de 2004 et de l'évacuation en catastrophe des ressortissants français du Liban lors de la guerre avec Israël de l'été 2006. Les questions de sécurité sont en effet le principal frein à l'expatriation et la préoccupation constante de nos comunautés. Elle compte 27 membres, désignés par les groupes en fonction de la représentation proportionnelle. Son cahier des charges, établi par l'AFE, est consigné dans l'arrêté du ministre des Affaires étrangères. Dans un premier temps, elle a débattu de la sécurité des personnes, dressé un état des différents événements qui peuvent la menacer : catastrophes naturelles, crises politiques ou militaires, accidents industriels ou de transports, vols, agressions… Cela concerne les résidents français à l'étranger mais aussi les quinze millions de vacanciers qui partent chaque année hors de nos frontières. Bon an mal an et pour des raisons très diverses, les 232 consulats et agences consulaires prêtent assistance à environ 10 000 touristes victimes de vols de papier, d'agression ou d'accident…

La commission a alors examiné les réponses apportées par les consulats à chacune des atteintes identifiées, comme le fonds de garantie créé par la loi du 6 juillet 1990 pour indemniser les victimes d'actes de terrorisme ou d'infractions pénales. Il faut noter que l'indemnisation des victimes d'actes de terrorisme à l'étranger est due à l'ancien sénateur Charles de Cuttoli, alors que le rapporteur de l'Assemblée nationale, M. Péricard, y était hostile. C'est une loi de 1986 qui a créé le principe de cette indemnisation, dont ont bénéficié notamment les otages français du Liban.

Après avoir dressé cet état des lieux, la commission a émis ses recommandations : trois concernent l'amélioration et même la systématisation par les professionnels du voyage de l'information des Français qui se rendent à l'étranger sur les risques existants et sur les structures d'aide d'urgence, une quatrième propose de modifier la loi et de rendre obligatoire l'assurance rapatriement. Enfin, la commission a recommandé de dégager des moyens pour que les consulats puissent assurer une écoute permanente, même en dehors des heures d'ouverture des bureaux. En conclusion, la commission a formulé le souhait d'être érigée en commission permanente. Il est indispensable que les conseillers soient étroitement associés à toutes les discussions et décisions en matière de sécurité.

Au cours de ses travaux la commission a été aidée par les conseils du sous-directeur de la sécurité des personnes au Quai d'Orsay et de son adjoint. Elle a aussi entendu divers experts, dont Éric Raoult, député de Seine-Saint-Denis, département particulièrement marqué par la situation des personnes rapatriées de Côte d'Ivoire en 2004, et auteur d'un rapport sur le sujet. Relayant les conclusions de l'AFE et pour faire suite à un engagement du président de la République, j'ai rédigé une proposition de loi visant la création d'un fonds de solidarité pour les Français établis à l'étranger victimes de catastrophes naturelles ou de crises politiques graves. Cette proposition de loi, qui s'inscrit dans la poursuite d'un long travail engagé dès la fin des années 1970 par les sénateurs Paulette Brisepierre, Paul d'Ornano et Xavier de Villepin, a été cosignée par la majorité de mes collègues.

La Commission de la participation électorale a, quant à elle, proposé pas moins de 37 mesures, de nature politique, symbolique et technique, qui pourraient contribuer à améliorer la participation aux scrutins. Elle a également mis en place un « comité de suivi » sur la nécessaire simplification du vote par Internet pour les prochaines élections à l'AFE…

Parmi les mesures « politiques » proposées par la Commission temporaire de la participation électorale, trois concernent la mise en œuvre d'un programme de communication institutionnelle et, plus surprenant, quatre propositions insistent sur la nécessité de « donner de réels pouvoirs à l'Assemblée et à ses conseillers ».

Les mesures politiques portent essentiellement sur deux points : améliorer la notoriété de l'AFE et renforcer sa capacité d'action.

Examinons tout d'abord la proposition de mettre en œuvre un vaste programme de communication pour inciter les Français de l'étranger à s'inscrire sur les listes consulaires et pour faire connaître les élections à l'AFE par divers canaux, y compris l'affichage dans les entreprises françaises. J'avais moi-même déposé à cet effet, en mai 2005, un amendement au projet de loi organique sur le vote des Français établis hors de France pour l'élection du président de la République. Le ministère des Affaires étrangères s'était alors engagé à étudier les modalités d'une telle disposition avec le ministère de la Culture et de la Communication. Il faut absolument inscrire dans la loi, avec les budgets correspondants, cette obligation d'information civique en la déclinant dans les cahiers des charges des chaînes audiovisuelles extérieures (RFI, TV5 Monde et France 24) et des chaînes nationales qui sont maintenant reçues à l'étranger. Cette information dépend actuellement du bon vouloir des chaînes, qui ne perçoivent pas encore tout l'intérêt de s'attirer le public des Français de l'étranger.

Deuxièmement, la commission temporaire a estimé que la participation électorale ne pouvait être améliorée sans l'octroi de réels pouvoirs délibératifs à l'Assemblée et sans lui reconnaître un statut de collectivité publique de plein exercice. La question n'est pas nouvelle. Elle remonte au moins à 1982 et à l'élection des membres du CSFE au suffrage universel. Depuis cette date, le Conseil puis l'Assemblée ont revendiqué un statut et des responsabilités correspondant à leur composition démocratique. Les membres d'une assemblée élue doivent être traités comme tous les autres élus, disposer des mêmes prérogatives et responsabilités. Ils doivent avoir des compétences accrues, délibératives et non pas seulement consultatives. Ils doivent par exemple pouvoir voter leur propre budget. Alors que le président de la République et le gouvernement souhaitent revaloriser le Parlement, pourquoi ne pas donner à l'AFE un pouvoir de décision sur certaines nominations, donner plus de moyens et de pouvoir d'investigation aux commissions, instaurer au moins une fois par an des questions d'actualité en présence de ministres ?

• *Le projet de collectivité d'outre-frontière* prévoit cela. Un rapport du 6 mars 2006, concluant trois ans de travaux – adopté à l'unanimité de la Commission temporaire de la décentralisation appliquée aux Français de l'étranger et à l'unanimité de l'Assemblée le 9 mars 2006 –, prône la création d'une collectivité publique des Français établis hors de France dénommée « Collectivité d'outre-frontière ». La « collectivité » est une personne morale de droit public. Elle aurait « *pour mission d'assurer la solidarité entre les Français établis hors de France et la nation* » et contribuerait « *à l'action culturelle de la France à l'extérieur* ». Elle serait composée de deux entités, l'AFE et les comités consulaires, qui deviendraient l'instance représentative locale des Français de l'étranger, élue au suffrage universel direct.

La collectivité serait dotée d'une autonomie de décision, y compris budgétaire. Le ministre conserverait l'essentiel de ses prérogatives budgétaires, notamment au cas où l'Assemblée n'aurait pas adopté le budget en temps utile. Il est proposé qu'un contrat de plan pluriannuel soit passé entre l'État et la collectivité d'outre-frontière, comme cela se fait avec les collectivités territoriales. L'affectation d'impôts et de taxes à la collectivité est également envisagée. Mais, cette création devrait se faire à budget constant en lui affectant les crédits de l'État déjà consacrés à l'AFE, à l'action sociale en faveur des Français de l'étranger, aux bourses et à diverses interventions économiques (formation professionnelle et réinsertion). La collectivité nouvelle pourrait également percevoir des dons et legs ainsi que les revenus de prestations de services ou de ventes de produits, à l'instar des comités consulaires italiens.

Ce statut novateur permettrait une reconnaissance définitive de la communauté des Français établis hors de France au sein de la nation et la placerait au même niveau que les collectivités territoriales de la République. Mais le processus de décentralisation avec transfert d'un grand nombre de responsabilités aux départements, régions et communes, obère l'extension de nombre de mesures à notre communauté. Par exemple, l'aide personnalisée d'autonomie (APA), confiée aux départements, ne peut être exportée. Également, pour les personnes sous tutelle ou curatelle, il y a rupture automatique de ces mesures lorsque la personne protégée établit sa résidence hors du territoire national. En matière d'adoption, ce sont les conseils généraux qui ont compétence pour agréer les familles désirant adopter.

Concrètement, comme les autres Français, nos ressortissants à l'étranger relèveraient d'une collectivité publique, formant une vingt-septième région de France, sans territoire au sens de territoire national mais avec un peuple de 2 200 000 citoyens[3].

La collectivité nouvelle resterait présidée par le ministre des Affaires étrangères, compte tenu des liens essentiels, indispensables, avec le Quai d'Orsay. Mais, il déléguerait auprès d'elle un représentant spécial, tel que le directeur de la DFAE, à l'instar des préfets de région auprès des conseils régionaux. L'Assemblée élirait alors son président, distinct du président de la collectivité.

Faut-il voir dans cette volonté d'obtenir un statut de collectivité publique de plein exercice le signe d'une crise d'identité de l'AFE ? Ses membres doutent-ils de leur utilité ? L'AFE émet des recommandations, des souhaits, mais après ? Pouvez-vous donner quelques exemples de vœux réalisés ?

Il ne s'agit pas d'une crise d'identité, mais, comme pour toute institution représentative devant répondre aux préoccupations des citoyens, des évolutions paraissent nécessaires pour optimiser son impact. Le travail

---

3. Cette innovation est à rapprocher de l'existence constitutionnelle d'une collectivité territoriale avec territoire mais sans peuple : les Terres australes et antarctiques françaises.

considérable fourni par cette assemblée est souvent freiné par la mauvaise volonté de certaines administrations. Les vœux et recommandations, s'ils sont souvent suivis d'effets, ne reçoivent pas toujours de réponses, l'administration n'ayant pas encore intégré toutes les conséquences de la mondialisation. Certes le principe de la territorialité des lois constitue une limite pour les Français établis hors de France. Mais en soixante ans d'existence, force est de reconnaître que le bilan de l'AFE est plus que positif, même si nous voudrions aller encore plus vite, encore plus loin. Dès les premières années de l'existence de leur conseil, les expatriés ont obtenu des résultats probants.

Aujourd'hui, les Français expatriés ont les mêmes droits fondamentaux que les résidents, assortis des adaptations nécessaires : protection et sécurité, éducation et culture, citoyenneté et solidarité. Ils peuvent bénéficier de bourses scolaires attribuées sur critères sociaux pour leurs enfants inscrits dans nos écoles à l'étranger (20 000 élèves boursiers en 2006-2007 pour un budget de 47 millions d'euros). Des prestations sociales sont attribuées : allocations de solidarité, allocations à durée déterminée, secours occasionnels, pour un montant de 16 millions d'euros en 2007, dont 300 000 pour aider 235 enfants français en détresse dans 49 pays. Des vœux très importants qui n'avaient pas trouvé d'écho ont été concrétisés grâce à l'engagement du président de la République. La gratuité de l'enseignement dans les classes de lycée pour les élèves français de nos établissements d'enseignement à l'étranger, réalisée dès la rentrée 2007 pour les classes de terminale et qui concernera celles de première à la rentrée 2008 et de seconde en 2009 (soit à terme 14 000 élèves concernés pour un budget de 50 millions d'euros) est la plus significative. La notion de service public de l'enseignement français à l'étranger prend forme, alors que cette gratuité était demandée depuis 1981 ! Dans un autre domaine, la prise en charge par l'État d'une part de la cotisation à l'assurance volontaire maladie pour les adhérents à revenus modestes et les jeunes de moins de trente ans, la suspension de la rétroactivité au cours de l'année 2008 pour les nouvelles adhésions à la Caisse des Français de l'étranger avaient fait également l'objet de vœux de l'AFE. On peut citer aussi l'attribution de la carte SNCF famille nombreuse aux Français de l'étranger et l'autorisation de transfert des allocations chômage dans un pays de l'Union européenne pendant une période de trois mois.

D'autres avancées sont attendues, notamment dans le domaine de la fiscalité. L'AFE demande depuis longtemps que la résidence en France des Français expatriés soit considérée comme une résidence principale et non pas secondaire. La notion « *d'habitation unique en France des Français résidant hors de France* », introduite en 2005 dans le Code général des impôts pour exonérer de taxe la vente de l'immeuble d'un non-résident est un réel progrès. Si l'habitation en France de nos compatriotes était considérée comme une résidence principale, la déduction de 30 % leur serait applicable, les incitant davantage à conserver ou acquérir une résidence en France.

Dans sa lettre de mission, adressée par le président de la République le 18 juillet 2007, la Commission de modernisation des institutions de la Ve République avait été invitée à « étudier dans quelle mesure les Français de l'étranger [...] pourraient être représentés à l'Assemblée nationale en plus du Sénat ». Quelles ont été les relations de l'AFE avec cette commission ?

La création de ce comité était une occasion que l'AFE ne pouvait ignorer ! Outre la représentation des Français de l'étranger à l'Assemblée nationale, l'AFE a tenu à ajouter aux débats la question de l'évolution de leur représentation au Conseil économique et social et de leur participation à l'élection du Parlement européen. Tout cet édifice trouvant sa cohérence dans l'institution d'une collectivité d'outre-frontière. L'AFE a étudié lors de la session plénière de septembre 2007 le rapport établi sur ces questions par sa Commission des lois et règlements. Puis elle a émis des recommandations sur ces points à destination du comité. Ces recommandations ont été relayées par les sénateurs auprès du Premier ministre et des présidences du Sénat et de l'Assemblée nationale. La représentation des Français de l'étranger étant une spécificité du Sénat, inscrite à l'article 24 de la Constitution, la haute assemblée n'a cependant pas eu très envie de partager ce privilège avec l'Assemblée nationale. L'ancien Premier ministre Édouard Balladur, président de cette commission, a suivi l'avis du Sénat, mais le président Nicolas Sarkozy a souhaité relancer le débat. Le 21 juin 2008, l'Assemblée nationale et le Sénat, réunis en Congrès à Versailles, ont voté en faveur de la réforme des institutions, celle-ci impliquant la représentation des Français de l'étranger à l'Assemblée nationale. C'est là bien sûr un progrès considérable pour les Français de l'étranger.

Pourquoi n'y a-t-il pas eu plus tôt de députés représentant directement les Français de l'étranger à l'Assemblée nationale ?

C'était là une revendication très ancienne, justifiée sur le fond. Comme j'avais déjà eu l'occasion de l'écrire en 2002 dans un article de la *Revue politique et parlementaire*, la non-représentation des Français de l'étranger à l'Assemblée nationale portait atteinte aux principes d'égalité et d'indivisibilité de la nation. C'est parce que la République est indivisible que les citoyens doivent être égaux en droit. Ce principe, déjà proclamé par la Constitution de 1791 et réaffirmé par notre Constitution de 1958, prohibe toute discrimination en fonction de l'attache territoriale lors de l'élection des représentants de la souveraineté nationale et implique que toutes les collectivités secondaires de la République soient placées sur un même pied par rapport à l'État.

L'Union des Français de l'étranger avait émis le vœu dès sa création en 1927 que soit reconnue aux expatriés la possibilité d'exercer pleinement leur droit de vote en envoyant à l'Assemblée une représentation directement élue par eux-mêmes et, dans la mesure du possible, parmi eux, sans rattachement à la liste électorale de telle ou telle commune de métropole. Mais il avait été décidé qu'une représentation directe au Parlement était inconcevable sur un plan politique, juridique et administratif. Plusieurs pays avaient déjà exprimé leur refus que la France « coloniale » organise des élections sur leur territoire et l'on craignait une demande de réciprocité sur le sol français.

C'est ce qui a amené le général de Gaulle, lorsqu'il a fondé la Ve République, à décider que les Français établis hors de France ne seraient représentés que dans la chambre haute du Parlement, où le mode d'élection, par le suffrage universel indirect, ne présentait pas de difficultés majeures. L'absence de députés était donc due au contexte historique. La rapidité des échanges, l'avènement de l'électronique et des satellites ont réduit l'espace et les distances. Un Français de Tombouctou ou de Colombo peut être aujourd'hui aussi bien informé des enjeux et des débats en France qu'un résident de métropole.

La création de circonscriptions électorales consulaires pour l'élection des conseillers à l'Assemblée des Français de l'étranger en 1982 a de plus rendu juridiquement possible un tel scrutin. Cette création, qui avait déjà fait l'objet d'une proposition de loi organique des sénateurs socialistes en 2005-2006, figurait dans les engagements de campagne du président de la République. Un vœu en ce sens a été voté à l'unanimité de l'AFE moins neuf abstentions en septembre 2007. Le président de la République a confirmé ce souhait dans plusieurs allocutions publiques prononcées à l'étranger et fait inscrire ce projet dans son programme de réformes institutionnelles. L'adoption de ces réformes le 21 juillet 2008 par l'Assemblée nationale et le Sénat réunis en Congrès à Versailles fait que la prochaine législature accueillera des députés des Français de l'étranger, sous une forme et un mode qui restent à définir dans le cadre de la loi et qui seront débattus au sein de l'AFE et de sa Commission des lois et règlements.

Outre la fin d'une inégalité criante, l'existence de ces députés constituera un appui à l'action des sénateurs qui, faute de relais permanents et efficaces au palais Bourbon, ont parfois du mal à faire comprendre l'intérêt d'élargir le domaine de la loi aux Français expatriés. La présence de députés connaissant les questions internationales et ayant vécu à l'étranger apportera sans aucun doute un éclairage nouveau et positif aux travaux de l'Assemblée nationale.

La création de postes de députés ne va-t-elle pas changer le fonctionnement et le travail de l'Assemblée ?

Il est évident que les députés devront rejoindre les rangs de l'AFE. Ils deviendront également membres du collège électoral qui élit les sénateurs. Leur présence sera en tout cas une source d'enrichissement pour les travaux de l'AFE. Je ne doute pas qu'ils auront à cœur de travailler en lien étroit tant avec les sénateurs qu'avec les conseillers membres de l'AFE, pour faire progresser la défense des droits de nos compatriotes, qui jusqu'à présent souffrait de cette absence de représentation à l'Assemblée nationale.

Pourquoi n'y a-t-il pas de représentants des Français de l'étranger au Parlement européen ?

Le problème de l'élection de députés au Parlement européen est tout autre et ne présente à priori aucun obstacle juridique. Et pourtant, jusqu'à présent aucun membre de l'Assemblée des Français de l'étranger, aucun Français de l'étranger n'a jamais figuré en position éligible sur une liste française. L'établissement des listes dépend des partis politiques, qui préfèrent souvent pousser des candidats territoriaux au détriment de Français de l'étranger pourtant très au fait des questions européennes. Cette situation est aussi regrettable qu'absurde au regard de l'expérience incomparable de la mondialisation et des questions internationales que possèdent nos compatriotes expatriés, sans parler de leur connaissance des langues et des cultures qui pourraient nous être si utiles à Strasbourg et Bruxelles. La diversification et le renouvellement des politiques, conditions essentielles d'efficacité et de légitimité démocratique, pourraient justement s'appuyer sur les élus à l'AFE. Malheureusement, le processus de régionalisation de l'élection européenne en 2003 a lourdement pénalisé nos compatriotes de l'étranger en les privant de toute possibilité effective de représentation, alors même qu'ils avaient pu prendre part, depuis l'étranger, à toutes les élections du Parlement européen au suffrage universel depuis 1979. Le législateur, en supprimant la possibilité jusqu'alors offerte aux expatriés de voter pour des listes françaises dans les bureaux de vote de l'étranger, n'a pas créé de circonscription spécifique pour eux. Cela aurait été pourtant légitime et opportun. Une résolution de l'Assemblée représentative des Français de l'étranger demandant la création d'une telle circonscription avait été adoptée à l'unanimité dès 1993, et un nouveau vote, toujours à l'unanimité, a confirmé cette demande en 2002.

Plusieurs propositions de loi tendant à la création d'une circonscription spécifique des Français de l'étranger au Parlement européen ou demandant leur rattachement à la Région Île-de-France ont été déposées au Sénat. Une telle réforme permettrait à nos compatriotes de participer à nouveau aux élections européennes depuis les bureaux de vote à l'étranger. Si plus de la moitié des Français expatriés résident en Europe, la plupart ne sauraient se satisfaire d'une possibilité de vote pour des listes nationales du pays de résidence. De plus, tous les Français de l'étranger, qu'ils vivent à l'intérieur ou à l'extérieur des frontières de l'Union sont influencés d'une manière ou d'une autre par la construction européenne, dont ils sont les artisans. On pourrait même imaginer qu'il y ait un jour pour les élections au Parlement européen une circonscription transnationale spécifique aux Européens résidant dans les pays tiers, idée accueillie favorablement par la Commission des affaires institutionnelles du Parlement européen lorsque je l'avais évoquée lors de la première audition publique organisée par elle en 1996. Cela correspondrait à la vocation transnationale du Parlement européen voulue par les Pères fondateurs et s'inscrirait parfaitement dans la logique d'intégration européenne et d'accompagnement nécessaire des phénomènes de mondialisation et d'accroissement des migrations. Mais les réticences face à la procédure électorale uniforme ainsi que la nécessité d'un vote à l'unanimité en la matière ne peuvent guère nous laisser d'espoir dans un futur proche.

Qu'en est-il des liens entre les Français de l'extérieur et les diverses instances européennes ?

La question de la représentation des nationaux expatriés est un sujet encore assez nouveau en Europe. Le Conseil de l'Europe, par l'intermédiaire de sa commission des migrations, a été le premier à s'y intéresser vraiment. Dans deux rapports sur ce sujet que j'ai rédigés pour lui il y a quelques années – et qui ont été adoptés à l'unanimité –, j'ai par exemple proposé la création d'une structure consultative à l'échelle européenne, afin d'accueillir des représentants d'organisations d'expatriés de tous les États membres. Une telle structure permettrait de veiller à ce qu'une politique de soutien aux expatriés fasse partie intégrante de la réflexion et de la stratégie d'action internationale de ces États, tout en leur donnant des outils d'appréhension, d'analyse et de gestion des flux de migration transeuropéens, dans un cadre de concertation et de coopération. La création récente d'une commission permanente de l'Union européenne à l'AFE constitue une base d'ouverture vers les institutions européennes et d'un dialogue avec leurs représentants. Elle devrait permettre une évolution dans ce domaine. Dans le cadre de l'assemblée plénière de septembre 2007, les membres de la commission sont allés à Strasbourg à la rencontre du président du Parlement européen, Hans-Gert Pöttering, de députés européens et du commissaire Franco Frattini, vice-président de la Commission européenne, chargé de la justice et de la sécurité. Ils ont défendu un vœu unanime suggérant la création d'un « *référent européen* » dans les administrations locales des États membres, dont la mission serait d'informer les citoyens et de régler les litiges liés à l'application des règlements communautaires, notamment en matière fiscale et sociale, afin de faciliter la vie des Européens. Une idée que le député Alain Lamassoure a souhaité reprendre sous forme de règlement ou de directive à soumettre à la présidence française de l'Union au deuxième semestre 2008. La commission va également organiser une rencontre des représentants des citoyens européens expatriés dans l'Union, avec comme objectif de porter des projets communs au niveau des instances européennes. Les élus de l'AFE veulent de cette manière s'impliquer pour combler le déficit démocratique de l'Union européenne. La représentation de l'AFE dans des instances comme le Conseil économique et social européen ou le Conseil de l'Europe apporterait beaucoup à l'influence française, dont on estime qu'elle s'amoindrit en Europe.

D'autres pays européens ont-ils un système de représentation analogue à celui de l'AFE ?

En Europe de l'Ouest, quatre pays disposent d'un système de représentation spécifique aux expatriés proche du notre, et qui en est d'ailleurs inspiré : l'Espagne, la Grèce, l'Italie et le Portugal, les deux derniers ayant également une représentation parlementaire de leurs citoyens établis à l'étranger.

• Les *Italiens* expatriés sont les mieux lotis. Ils sont représentés par douze députés et six sénateurs, par des COMITES constitués dans les circonscriptions consulaires où résident au moins 3 000 ressortissants, dont les membres sont élus au suffrage universel direct pour cinq ans à la représentation proportionnelle, et enfin par le Conseil général des Italiens à l'étranger, composé de 94 membres, dont 65 sont élus pour cinq ans au scrutin majoritaire par un collège formés des membres des COMITES et de représentants d'associations de la communauté italienne. Le Conseil est un organe consultatif présidé par le ministre des Affaires étrangères.

• Les *Portugais* établis à l'étranger sont représentés à l'Assemblée de la République portugaise par quatre députés, dont deux pour les résidents d'Europe et deux hors Europe, et par le Conseil des communautés portugaises, composé de 100 membres élus pour quatre ans au suffrage universel direct.

• Les *Espagnols* expatriés n'ont pas, quant à eux, de représentation parlementaire spécifique, mais sont représentés par les conseils de résidents espagnols placés auprès des agences consulaires à l'étranger comptant au moins 700 personnes inscrites sur les listes électorales et composés de membres élus pour quatre ans au suffrage universel direct, ainsi que par le Conseil général de l'émigration, organe consultatif dépendant de la Direction générale des migrations du ministère du Travail et des Affaires sociales, composé de 58 membres, dont 43 sont élus pour quatre ans par les conseils de résidents.

Il est paradoxal et anachronique que des démocraties comme la Grande-Bretagne, la Belgique, l'Allemagne, l'Irlande ou la Suède, qui ont des communautés expatriées importantes, n'aient aucun système de représentation de leurs nationaux résidant à l'étranger. Certains États comme l'Irlande ne donnent même pas l'exercice du droit de vote à l'étranger à leurs expatriés. Il faudrait que l'Union européenne, sous l'impulsion de la France, s'empare enfin de ce dossier afin que les Européens expatriés aient une véritable représentation, tant dans leur pays d'origine que dans les instances européennes.

Propos recueillis par
Stanislas Maillard

En guise de conclusion

À l'heure de la mondialisation, l'expatriation – ou plutôt la mobilité transnationale – est une donnée incontournable en matière de bonne gouvernance et de stratégie d'influence. « *Nous sommes passés de l'âge de l'État-nation à celui de la diaspora* », affirmait en 2005 le sociologue Roger Brubaker. Si l'on ne peut vraiment parler de diaspora en ce qui concerne l'expatriation française, dans la mesure où elle ne correspond pas à une trajectoire collective mais est plutôt marquée par l'hétérogénéité d'expériences migratoires individuelles, il est indispensable de maintenir des liens étroits avec nos migrants et de repenser nos modes d'organisation sur le plan temporel, spatial et virtuel.

Il nous faut adapter notre sphère publique, notre « société civile » et nos institutions aux enjeux majeurs de cette mondialisation, en répondant aux défis de la mobilité qu'elle génère et de ses corollaires en matière de double nationalité et de multiculturalisme, de transfert d'expertises, de développement de la démocratie et de la coopération, et de gestion du « retour ».

L'Assemblée des Français de l'étranger, par son originalité conceptuelle, par sa nature hybride, en perpétuelle tension entre une quête d'autonomie et une construction juridique rigoureuse, semble un outil particulièrement adapté à de tels défis.

Vecteurs du rayonnement culturel et linguistique de notre pays et de cette diplomatie d'influence que nous appelons de nos vœux, ses membres sont aussi des acteurs de terrain, souvent présents de longue date dans le pays hôte. Leurs réseaux, leur expérience voire leur expertise sont des atouts considérables pour la politique d'attractivité de notre territoire et pour l'aide à nos exportateurs.

Dans un monde multipolaire, interdépendant mais fragmenté, où les facteurs de risque ne cessent de se développer et de se diversifier, ils représentent en outre un pôle de stabilité et peuvent être des acteurs efficaces en matière de veille économique stratégique ou même sanitaire, comme ils le sont pour le développement social, économique et environnemental de très nombreux pays émergents.

La France a été le premier État à prendre conscience de l'intérêt d'une action collective concertée envers ses expatriés. En faisant d'eux des acteurs à part entière du processus démocratique, elle a fait preuve de pertinence et de clairvoyance. Cette vision doit maintenant être partagée. Il est du rôle de la France de convaincre ses partenaires européens de la nécessité de donner un nouvel élan à cette citoyenneté européenne instaurée dès 1992 dans le Traité dit de Maastricht, mais sans réels progrès depuis. Créer un véritable espace de démocratie partagée, affirmer la nécessité d'octroyer des droits de représentation aux migrants européens dans l'État dont ils sont ressortissants, et créer des solidarités transfrontières, voilà de vrais défis.

En soixante ans, l'Assemblée des Français de l'étranger a réalisé un travail considérable et obtenu des progrès tangibles dans tous les domaines. On nous rappelle souvent qu'aucun autre pays n'a fait pour ses ressortissants expatriés ce que la France a fait pour les siens. C'est vrai : nous avons l'un des meilleurs réseaux consulaires au monde, des systèmes de protection sociale et de sécurité inégalés et un réseau d'enseignement unique dont l'excellence est reconnue par tous.

Si la France a fait autant, c'est en grande partie grâce à l'action de l'AFE et de ses membres, tous empreints du souci de l'intérêt général et du désir de servir le mieux possible, aux côtés de nos diplomates, nos communautés expatriées et les intérêts de notre pays. Il n'est d'organisation valable que par les hommes et les femmes qui la composent. Le travail à l'AFE est souvent lourd, voire frustrant, car les résultats mettent parfois des années, voire des décennies à se concrétiser. Il faut beaucoup de courage, de vigilance et de détermination, mais aussi beaucoup de patience et d'humilité pour s'engager au service de ses concitoyens, et cela est encore plus vrai quand on vit à l'étranger, car les contraintes y sont infiniment plus pesantes, et il reste encore tant à faire. Mais il n'y a guère de plus grande satisfaction que celle du devoir accompli au service des autres, et les membres de l'AFE partagent cette fierté de porter aussi haut que possible l'image de notre pays, de son rayonnement linguistique, économique et culturel et de ses valeurs de paix, de responsabilité, de solidarité et de tolérance.

Annexes

Membres de l'AFE
par circonscriptions électorales

Composition de l'AFE

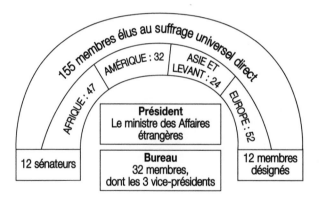

155 membres élus au suffrage universel direct

AFRIQUE : 47

AMÉRIQUE : 32

ASIE ET LEVANT : 24

EUROPE : 52

Président
Le ministre des Affaires étrangères

Bureau
32 membres,
dont les 3 vice-présidents

12 sénateurs

12 membres désignés

Membres de l'AFE
par circonscriptions électorales

Amériques

Pays	Chef-lieu de circonscription	Français résidents[1]		Nombre de conseillers
Canada (2 circonscriptions)	Ottawa	15 195	63 732	3
	Montréal	48 537		5
États-Unis (4 circonscriptions)	Washington	61 624	111 875	5
	San Francisco	34 401		4
	Houston	7 761		1
	Chicago	8 089		1
Brésil, Guyane, Surinam	Brasilia	16 658		3
Argentine, Chili, Paraguay, Uruguay	Buenos Aires	26 235		3
Bolivie, Colombie, Équateur, Pérou, Venezuela,	Caracas	12 852		3
Belize, Costa Rica, El Salvador, Guatemala, Honduras, Mexique, Nicaragua, Panamá	Mexico	18 837		3
Bahamas, Barbade, Cuba, Dominique, Grenade, Haïti, Jamaïque, Porto Rico, République dominicaine, Saint-Vincent et les Grenadines, Sainte-Lucie, Trinité et Tobago	Port-au-Prince	6 191		1

---

1. *Nombre de Français inscrits au registre mondial des Français établis hors de France en 2007. (Le nombre réel de Français résidant dans la circonscription est en général de 30 à 50 % plus élevé.)*

Europe

PAYS	CHEF-LIEU DE CIRCONSCRIPTION	FRANÇAIS RÉSIDENTS[1]		NOMBRE DE CONSEILLERS
Allemagne	Berlin	56 162	99 288	4
(2 circonscriptions)	Munich	43 126		6
Andorre	Andorre	4 091		1
Belgique	Bruxelles	81 608		6
Luxembourg	Luxembourg	23 854		1
Pays-Bas	Amsterdam	19 375		1
Liechtenstein, Suisse	Genève	132 784		6
Royaume-Uni	Londres	107 914		6
Irlande	Dublin	7 236		1
Danemark, Estonie, Finlande, Islande, Lettonie, Lituanie, Norvège, Suède	Stockholm	15 705		2
Portugal	Lisbonne	12 135		1
Espagne	Madrid	69 290		5
Italie, Malte, Saint-Marin	Rome	44 857		4
Monaco	Monaco	8 838		1
Chypre, Grèce, Turquie	Athènes	15 350		3
Albanie, Autriche, Bosnie-Herzégovine, Bulgarie, Croatie, Hongrie, Macédoine, Pologne, République tchèque, Roumanie, Slovaquie, Slovénie, Serbie-Monténégro	Vienne	23 818		3
Arménie, Azerbaïdjan, Biélorussie, Géorgie, Kazakhstan, Kirghizistan, Moldavie, Ouzbékistan, Russie, Tadjikistan, Turkménistan, Ukraine	Moscou	6 963		1

---

1. *Nombre de Français inscrits au registre mondial des Français établis hors de France en 2007. (Le nombre réel de Français résidant dans la circonscription est en général de 30 à 50 % plus élevé.)*

Afrique

PAYS	CHEF-LIEU DE CIRCONSCRIPTION	FRANÇAIS RÉSIDENTS[1]	NOMBRE DE CONSEILLERS
Algérie	Alger	36 782	4
Maroc	Rabat	34 097	5
Tunisie, Libye	Tunis	16 401	3
Afrique du Sud	Pretoria	6 447	1
Comores, Madagascar, Maurice, Seychelles	Antananarivo	28 433	4
Égypte, Éthiopie, Soudan	Le Caire	6 018	2
République de Djibouti, Somalie, Érythrée	Djibouti	4 426	2
Angola, Botswana, Kenya, Lesotho, Malawi, Mozambique, Namibie, Ouganda, Swaziland, Tanzanie, Zambie, Zimbabwe	Nairobi	4 393	2
Cameroun, Guinée équatoriale, République centrafricaine, Tchad	Yaoundé	7 812	4
Cap-Vert, Gambie, Guinée, Guinée-Bissau, Sénégal, Sierra Leone,	Dakar	19 565	4
Mauritanie	Nouakchott	1 721	1
Burkina Faso, Mali, Niger	Bamako	9 123	3
Côte d'Ivoire, Libéria	Abidjan	9 491	4
Bénin, Ghana, Nigeria, Togo	Lomé	8 253	2
Gabon, São Tomé-et-Príncipe (Rép)	Libreville	9 647	3
Congo, Rép. démocratique du Congo (ex-Zaïre), Rwanda, Burundi	Brazzaville	5 757	3

---

1. *Nombre de Français inscrits au registre mondial des Français établis hors de France en 2007. (Le nombre réel de Français résidant dans la circonscription est en général de 30 à 50 % plus élevé.)*

Asie, Levant, Océanie

PAYS	CHEF-LIEU DE CIRCONSCRIPTION	FRANÇAIS RÉSIDENTS[1]	NOMBRE DE CONSEILLERS
Israël	Tel-Aviv	49 137	4
Arabie Saoudite, Bahreïn, Émirats arabes unis, Koweït, Oman, Qatar, Yémen, Abou Dabi	Abou Dabi	16 615	3
Irak, Jordanie, Liban, Syrie	Beyrouth	20 794	3
Pondichéry	Pondichéry	6 256	2
Afghanistan, Bangladesh, Birmanie, Inde, Iran, Maldives, Népal, Pakistan, Sri Lanka	New Delhi	10 891	2
Chine, Corée, Japon, Mongolie	Tokyo	28 143	4
Brunei, Cambodge, Indonésie, Laos, Malaisie, Philippines, Singapour, Thaïlande, Viêt-nam	Bangkok	26 915	3
Australie, Îles Cook, États fédérés de Micronésie, Fidji, îles Salomon, Tuvalu, Kiribati, Îles Marshall, Nauru, Nouvelle-Zélande, Papouasie-Nouvelle-Guinée, Samoa occidentales, Tonga, Vanuatu	Sydney	18 914	3

---

1. *Nombre de Français inscrits au registre mondial des Français établis hors de France en 2007. (Le nombre réel de Français résidant dans la circonscription est en général de 30 à 50 % plus élevé.)*

Table

Pour contacter l'AFE :

SECRÉTARIAT GÉNÉRAL DE L'AFE
Direction des Français à l'étranger
et des étrangers en France
244, boulevard Saint-Germain – 75303 Paris 07 SP
Téléphone : 01 43 17 65 82
Télécopie : 01 43 17 65 18
Courriel : sg.afe@diplomatie.gouv.fr
www.assemblee-afe.fr

Suite de la page 4

Jean-François Bernardin, *À quoi sert une chambre de commerce et d'industrie ?* (3ᵉ éd. en préparation)
Alain Griset, *À quoi sert une chambre de métiers ?*
Luc Guyau, *À quoi sert une chambre d'agriculture ?*

Qu'est-ce que la Ligue des droits de l'Homme ?
Qu'est-ce que SOS Racisme ?
Qu'est-ce que la Ligue de l'enseignement ?
Qu'est-ce que l'Office central de la coopération à l'école ?
Qu'est-ce que l'UNAF ?
Qu'est-ce que la Fédération unie des Auberges de Jeunesse ?

Claude Perrotin, Yvette Ladmiral, *Oui ou non à la Constitution européenne ?*
Claude Perrotin, *Élysée 2007, le guide de la présidentielle.*
Claude Perrotin, *Pour qui voter ? Présidentielle 2007.*

À PARAÎTRE

Bernard Van Craeynest, *Qu'est-ce que la CFE-CGC ?* (nouvelle éd. augmentée)
Qu'est-ce que le MRAP ?
Qu'est-ce que l'UEJF ?
Qu'est-ce que l'UNHAJ ?
Jean-Claude Mailly, *Qu'est-ce que FO ?* (3ᵉ éd. augmentée)

Ouvrage composé par Atlant'Communication
aux Sables-d'Olonne (Vendée).

Impression réalisée sur Presse Offset par

C P I
Brodard & Taupin

à La Flèche (Sarthe)
en septembre 2008
pour le compte des Éditions de l'Archipel
département éditorial
de la S.A.R.L. Écriture-Communication

Imprimé en France
N° d'impression : 49146
Dépôt légal : septembre 2008